New INHA KOREAN 3

인하대학교 언어교육원
Inha University
Language Training Center

3

새인하한국어

최권진, 유지숙, 장정숙, 안나영 지음

인하대학교 출판부
INHA UNIVERSITY PRESS

지은이

최권진
인하대학교 언어교육원 주임교수
소피아대학교 언어학 박사

유지숙
인하대학교 언어교육원 강사
인하대학교 교육대학원 한국어교육 석사

장정숙
인하대학교 언어교육원 강사
동덕여자대학교 대학원 한국어교육 석사

안나영
인하대학교 언어교육원 강사
경희대학교 교육대학원 한국어교육 석사

도움을 주신 분

- **지원:** 인하대학교 총장 박춘배, 인하대학교 언어교육원장 김태승
- **행정:** 인하대학교 출판부, 인하대학교 언어교육원 행정실
- **사진 · 삽화:** 언어교육원 교사와 가족, Foldesi Emese, Sabushimike Donatien, Ndour Moustapha, Li Yang, Le Hoai Giang, Dinh Huong Thao, Bendoufiaf Abdelmoumene, Duurenjargal Dulguun, Abdullah Hassan Abdulla, 이병준, 박준형, 김가희, 김연진, 김혜원, 최충효 등
- **녹음:** 언어교육원 교사, 김민희, 이병선

국립중앙도서관 출판시도서목록(CIP)

새인하한국어 = New Inha Korean. 3 / 최권진, 유지숙, 장정숙, 안나영 지음.
-- [인천] : 인하대학교 출판부, 2014
p. ; cm

색인수록
ISBN 978-89-7407-973-4 14700 : ₩27,000
ISBN 978-89-7407-961-1 (세트) 14700

한국어 학습[韓國語學習]
한국어 교재[韓國語敎材]

717.6-KDC5
495.78-DDC21 CIP2014033338

일러두기

새인하한국어3은 한국어를 배우는 외국인 학습자를 위한 교재로 총 16과로 이루어져 있으며 각 과는 '단원 구성, 준비하기 1, 2, 문법, 듣기, 말하기, 읽기, 쓰기, 문화 이해하기'로 구성되어 있다. 교재 지문을 모두 CD에 포함하여 학습자의 발음을 수정하거나 스스로 듣는 훈련을 통해 한국어 듣기 능력을 향상할 수 있도록 하였다.

도입: 한 단원을 아우를 수 있게 영역별로 기능을 제시하였다. 또한 주제와 관련된 간단한 그림과 사진으로 보여 주어 학습자가 학습 목표를 이해하고 과에 흥미를 가질 수 있도록 하였다.
준비하기 1, 2: 준비하기는 1과 2의 두 부분이 있으며, 이것은 다시 대화와 문법, 연습하기로 나뉜다. 준비하기를 통하여 각 과에 주어진 과제를 수행하기 위해 필요한 어휘와 문법 및 표현을 익힐 수 있도록 구성하였다.
대화에서는 주제와 관련된 상황을 대화로 구성하여 상황에 맞는 기능을 동시에 학습할 수 있도록 하였다. 등장인물의 실제 사진을 제시하여 현실성을 높이고 학습자의 흥미를 유발하는 데에 도움이 되도록 하였다.
문법은 대화로 구성하여 문법이 사용된 상황을 잘 이해할 수 있도록 하였다. 의미뿐만 아니라 형태 연습에도 무리가 없도록 다양한 예문을 제시하였다.
연습하기는 문법을 익히는 단계이다. 두 사람의 대화 상황으로 제시하였으며 학습자는 연습을 통해 오류를 수정하고 문법을 정확하게 익힐 수 있다.
듣기: 주제에 맞는 듣기 상황을 제시하였으며 문제를 함께 달아 학습자가 대화를 듣고 이해하였는지 확인할 수 있도록 하였다.
말하기: 듣기와 말하기를 연계하여 듣고 이해한 것을 학습자가 자신의 언어로 표현할 수 있도록 구성하였다. 앞에서 배운 표현들을 사용하여 말할 수 있도록 듣기와 비슷한 상황을 제시하였다. 각 과마다 예시를 주어 학습자들이 말하는 연습을 하는 데에 도움이 될 수 있도록 하였다.
읽기: 수필, 주장하는 글, 기사 등 다양한 형식의 읽을거리를 제시하여 독해 연습이 가능하도록 하였으며 문제를 함께 달아 학습자가 글을 읽고 이해하는 능력을 향상시킬 수 있도록 하였다.
쓰기: 읽기와 쓰기를 연계하여 주어진 과제를 이해하고 표현할 수 있도록 하였다. 앞에서 배운 표현들을 사용하여 쓸 수 있도록 읽기와 비슷한 상황을 제시하였다. 본격적인 쓰기를 하기 전에 관련된 질문과 개요를 제시하여 글의 구성을 좀 더 쉽게 파악할 수 있도록 하였다.
문화 이해하기: 각 과의 주제에서 심화된 내용을 바탕으로 주제와 관계가 있는 전통 문화와 현대 문화를 광범위하게 다루어 한국 문화에 대한 이해를 돕는 동시에 읽기 능력도 향상시킬 수 있도록 하였다.
부록: 부록에는 듣기 지문과 어휘 색인을 넣어 학습자가 참고할 수 있도록 하였다. 어휘 색인은 학습자들이 찾기 쉽도록 ㄱㄴㄷ순으로 정리했다.

교재 구성표

3급	단원	준비하기1	문법	준비하기 2	문법
1과	**학교 생활**	반말하기	• V–아/어/여, N(이)야 • V–냐?/니? • AV–아/어/여라 • AV–자	새 친구 소개하기	• N아/야 • AV–(으)려니까
2과	**모임**	게시판 보고 이야기하기	• AV–는 바람에 • AV–(으)ㄹ 뻔하다	동아리 모임 소개하기	• V–(으)ㄹ 뿐이다, N일 뿐이다 • AV–는 대로[1]
3과	**성격과 감정**	혈액형별 성격 이야기하기	• V–(으)며, N(이)며 • V–(ㄴ/는)다고 하다, N(이)라고 하다	감정 표현하기	• V–냐고 하다, N(이)냐고 하다 • AV–자고 하다 • AV–(으)라고 하다
4과	**소식과 소문**	입학 정보 전달하기	• V–(ㄴ/는)다는 N, N_1(이)라는 N_2 • V–(ㄴ/는)대(요), N(이)래(요)	면접 준비 방법 제안하기	• V–냬(요), AV–(으)래(요), AV–재(요) • V–(ㄴ/는)다면서(요)?, N(이)라면서(요)?
5과	**초대와 방문**	결혼식 장소 방문하기	• AV–느라(고) • V–고(요), N(이)고(요) • AV–도록 하다	집들이 초대하기	• AV–(으)려다(가) • V–거든(요), N(이)거든(요)
6과	**요리**	불고기에 대해 설명하기	• V–아/어/여 가다/오다 • V–던 N	김치 박물관 견학 경험 이야기하기	• V–(으)ㄴ/는/(으)ㄹ 줄 알다/모르다, N인/일 줄 알다/모르다 • AV–기에는
7과	**운동**	체육대회 안내하기	• AV–다시피 • N(이)든(지), V_1–든(지) V_2–든(지)	운동 방법 설명하기	• AV–(으)ㄴ 채로 • V–기만 하다, N(이)기만 하다
8과	**일상 생활**	집에 대한 정보 찾기	• V–(으)ㄴ/는 데다(가), N인 데다(가) • AV–았/었/였더니	정보 공유하기	• V–았/었/였었–, N(이)었었– • AV–(으)려던 참이다
9과	**교통**	기차 이용방법 설명하기	• V–(으)ㄹ 만하다 • V–(으)ㄹ수록, N일수록	교통 법규 설명하기	• (아무리) V–(ㄴ/는)다고 해도, N(이)라고 해도 • V–(으)ㄹ 뿐만 아니라, N일 뿐만 아니라
10과	**여행**	여행지 추천하기	• N도 V–고 해서/하니까 • V–던데, N(이)던데	숙박 시설 정하기	• AV–(으)ㄹ 정도로 • V–더라고(요)
11과	**대중 매체**	개인적인 일에 대해 충고하기	• V 더니 • AV–도록	드라마에 대한 의견 주장하기	• V–(으)므로, N이므로 • V–던데(요), N(이)던데(요)
12과	**공연과 감상**	연주회 표 예매하기	• AV–(으)ㄹ 겸 (해서), N_1 겸 N_2 • AV–다(가) 보면/보니(까)	국악 공연 감상하기	• 피동 • N_1(이)나 N_2(이)나 (할 것 없이)
13과	**인터넷**	공인인증서에 대한 정보 제공하기	• AV–(으)ㄹ 지경이다 • V–(으)ㄹ 텐데, N(이)ㄹ 텐데	SNS 중독과 관련하여 조언하기	• V–(ㄴ/는)다니요?, N(이)라니요?, V–냐니요?, AV–(으)라니요?, AV–자니요? • AV–다가는
14과	**공공 장소**	공공규칙 설명하기	• N(으)로 인하다 • V–(으)ㄴ/는 척하다, N인 척하다	학교 규칙에 대해 경고하기	• AV–아/어/여 대다 • N조차
15과	**주거 생활**	집에 대한 정보 구하기	• AV–게 하다 • N(이)라도	이사에 대한 조언 구하기	• AV–(으)려야 • AV–곤 하다
16과	**법과 도덕**	쓰레기 배출 방법 설명하기	• V–(으)ㄴ/는 셈이다, N(이)ㄴ 셈이다 • AV–(으)ㄴ/는/(으)ㄹ 셈 치다, N(이)ㄴ 셈 치다 • V–(으)ㄴ/는 대로[2], N대로	아파트 주거 규칙 소개하기	• V–(으)ㄴ/는/(으)ㄹ 만큼, N만큼 • 사동

듣기	말하기	읽기	쓰기	문화 이해하기
학교생활 소개하기	의견과 이유 표현하기	인터넷 게시판 공고 보기	게시판에 글쓰기	선배와 후배
들은 내용 이해하기	만들고 싶은 모임 이야기하기	동호회 참가 경험에 대한 수필 읽기	모임 참석 후기 쓰기	한국인의 회식문화
계절에 따른 감정 표현 듣기	상황에 따른 감정 표현하기	성격 관련 심리 테스트 읽기	성격 묘사하기	한국인의 급한 성격
들은 내용 전달하기	소식 전하기	대학생의 여름방학에 대한 신문기사 읽기	학교 신문 만들기	말과 관련된 속담
집들이 후기 듣기	집들이 상황에서 인사하기	거절하는 내용의 편지 읽기	거절하는 내용의 이메일 쓰기	장례식장
조리법에 대해 듣기	고향 음식 소개하기	수필 읽기	식사예절 비교하기	식사 예절
간단한 운동 방법 소개하기	운동 방법 설명하기	여름철 운동 주의사항 읽기	계절별 운동 주의사항 쓰기	한국의 응원 문화
우체국 쇼핑 소개하기	상황에 맞게 말하기	투고문 읽기	투고문 쓰기	한국의 민간신앙 '손 없는 날'
교통방송 듣기	대중교통의 장단점 설명하기	교통사고 통계 읽기	교통사고 관련 그래프 분석하기	교통안전 표어
여행상품에 대해 문의하기	여행 상품 예약하기	기행문 읽기	기행문 쓰기	한국의 여행지
훈훈한 소식 듣기	고향 소식 재구성하기	수필 읽기	라디오에 보낼 사연 쓰기	한국 TV 드라마의 매력
영화 관람객 인터뷰 듣기	인상적인 공연 추천하기	작품 해석하기	공연 감상문 쓰기	소극장
SNS 열풍에 대한 뉴스 듣기	SNS 기능에 대해 토의하기	논설 기사 읽기	인터넷의 장점과 단점 쓰기	선플달기 운동
기내 수칙에 대한 안내 사항 듣기	설득하기	주장하는 글 읽기	건의문 쓰기	각 나라의 공중화장실
살고 있는 집의 장단점 서술 듣기	살고 있는 집 소개하기	한국의 주거 형태에 대한 설명문 읽기	살고 싶은 집 묘사하기	한옥
라디오 사연 듣기	상황에 따른 의견 제시하기	상황윤리에 대해 문제 제기하기	논리적으로 주장하기	양심을 법으로

주요 인물

리우 메이
중국 사람, 언어교육원생

자르갈
몽골 사람, 언어교육원생

아멜리
프랑스 사람, 언어교육원생

파하드
사우디 사람, 언어교육원생

오위노
케냐 사람, 대학원생

흐엉
베트남 사람, 대학생

로빈
영국 사람, 영어 강사

최수지
한국 사람, 대학생

박지성
한국 사람, 대학생

노민우
한국 사람, 언어교육원 교사

차례

1과 학교생활 10

2과 모임 26

3과 성격과 감정 40

4과 소식과 소문 56

5과 초대와 방문 70

6과 요리 86

7과 운동 102

8과 일상생활 118

9과 교통 132

10과 여행 146

11과 대중매체 162

12과 공연과 감상 180

13과 인터넷 194

14과 공공장소 208

15과 주거생활 222

16과 법과 도덕 236

듣기 지문 252

모범 답안 268

색인 270

제1과 학교생활

준비하기 1
반말하기
V-아/어/여, N(이)야
V-냐?/니?
AV-아/어/여라
AV-자

준비하기 2
새 친구 소개하기
N아/야
AV-(으)려니까

듣기
학교생활 소개하기

말하기
의견과 이유 표현하기

읽기
인터넷 게시판 공고 보기

쓰기
게시판에 글쓰기

문화 이해하기
선배와 후배

1 학교생활

준비하기1 301

반말하기

- 헷갈리다
- 맙소사
- 별말
- 장난치다

메 이: 자르갈, 반가워. 우리 같은 반인가 보다. 방학은 잘 보냈어?

자르갈: 응. 방학이 시작되면 아르바이트를 할까 했는데 그냥 이곳저곳 여행하면서 지냈어. 너 중국은 잘 갔다 왔어?

메 이: 그럼. 너무 오랜만에 가서 그런지 우리 집이 어디인지도 헷갈렸어.

자르갈: 아이고, 맙소사. 어, 저기 노민우 선생님이시네. 선생님, 안녕하세요?

선생님: 자르갈, 메이. 잘 지냈니?

메 이: 그럼요. 선생님은 방학 동안 더 멋있어지신 것 같아요.

선생님: 하하, 별말을 다 한다. 장난치는 거냐?

메 이: 아니에요. 진짜예요, 선생님.

선생님: 그래. 고맙다. 너희들 이번 학기에도 최선을 다해라.

자르갈: 네, 선생님. 메이, 우리 정말 최선을 다하자.

1. V-아/어/여, N(이)야

: 가까운 친구나 아랫사람에게 서술, 질문, 명령, 요청할 때 사용한다.

1) 가: 건강을 위해서 무슨 운동이 좋을까요?

나: 달리기 같은 유산소 운동을 해 봐.

2) 가: 여기에 쓰레기 버리지 마.

나: 예, 조심하겠습니다.

3) 가: 그 선생님 요즘 바쁘셔?

나: 네, 요즘 일이 많으신가 봐요.

4) 가: 요즘 많이 힘들지?

나: 아니. 힘들지 않아. 걱정하지 마.

5) 가: 출발할 시간이 다 됐는데 아직 멀었어?

나: 거의 다 했으니까 조금만 기다려 줘.

6) 가: 먹구름이 낀 걸 보니 곧 비가 오겠어.

나: 그럼 우산을 가지고 가야겠네.

7) 가: 기숙사가 어디야?

나: 이 골목 끝에 있는 건물이 바로 기숙사야.

- 유산소
- 거의
- 먹구름
- 골목

2. V-냐?/니?, N(이)냐?/니?

: 가까운 친구나 아랫사람에게 질문할 때 사용한다.

1) 가: 너 지금 뭐 먹니?

나: 새로 나온 아이스크림인데 너도 먹어 봐.

2) 가: 그 서점에 책이 그렇게 많니?

나: 응, 이 지역에서 가장 큰 서점이야.

3) 가: 이 컴퓨터는 왜 이렇게 느리냐?

나: 벌써 7년을 사용해서 그런 것 같아.

4) 가: 어제 거기에도 눈이 왔니?

나: 응, 그쪽에도 왔어?

5) 가: 내일부터 방학인데 뭐 할 거냐?

나: 가까운 곳으로 여행을 가려고 해.

6) 가: 저 분이 담임선생님이시니?

나: 아니요, 저 옆에 계신 분이 담임선생님이세요.

연습하기

1. 다음과 같이 이야기해 보십시오.

• 흥미롭다

뭐 하다
공부하다
가: 뭐 하**냐?**
나: 공부**해.**

1) 뭐 보다
새로 산 책을 보다

2) 어떻게 먹다
비벼서 먹다

3) 언제 예습했다
방학 때 예습했다

4) 어떤 책이 좋다
흥미로운 책이 좋다

5) 그 사람이 누구다
동아리 선배이다

3. AV-아/어/여라

: 가까운 사람이나 아랫사람에게 명령할 때 사용한다.

1) 가: 이제 그만 가라.
   나: 조금만 더 있으면 안 될까요?
2) 가: 뭐가 그렇게 급해? 좀 천천히 먹어라.
   나: 너무 배가 고파서 그래.
3) 가: 학교도 공공장소니 너무 시끄럽게 떠들지 마라.
   나: 예, 죄송합니다.
4) 가: 5분밖에 안 남았으니까 빨리 써라.
   나: 아직 쓸 내용이 많은데 시간 좀 더 주세요.
5) 가: 중요한 부분이니 집중해서 잘 들어라.
   나: 예, 알겠습니다.

• 그만
• 부분

4. AV-자

: 가까운 사람이나 아랫사람에게 권유나 제안을 할 때 사용한다.

1) 가: 아무리 생각해도 모르겠어요.
   나: 그 문제에 대해서 함께 생각해 보자.
2) 가: 이번 주말에 같이 스키 타러 가자.
   나: 미안하지만 이번 주말엔 선약이 있어.
3) 가: 내일 수료식 끝나고 다 같이 놀자.
   나: 좋아. 뭐 하고 놀까?
4) 가: 힘들어도 포기하지 말자.
   나: 그래. 힘들기는 하지만 끝까지 해 보자.
5) 가: 며칠 동안 청소를 안 해서 방이 너무 지저분하네.
   나: 그럼 같이 ______________________________

• 선약

연습하기

1. 다음과 같이 이야기해 보십시오.

• 짐
• 치우다

방 / 청소하다
가: 집에 도착하면 방 먼저 청소해라.
나: 네, 그럴게요.

1) 숙제 / 하다
2) 손 / 씻다
3) 게임 / 하지 말다
4) 짐 / 풀다
5) 책상 / 치우다

2. 다음과 같이 이야기해 보십시오.

• 탁하다
• 환기

다리 아프다 / 쉬다
가: 다리 아프니까 쉬자.
나: 그래. 나도 쉬고 싶었어.

1) 시험이 다가오다 / 같이 시험공부를 하다
2) 바람이 많이 불다 / 창문을 닫다
3) 별로 중요하지 않다 / 그 문제는 잊어버리다
4) 힘들어 보이다 / 도와주다
5) 공기가 탁하다 / 환기를 시키다

준비하기2 302 새 친구 소개하기

- 토론
- 자기
- 일석이조
- 종종

박지성: 아멜리, 요즘 학교생활은 어때?

아멜리: 아침에 일찍 일어나려니까 너무 힘들고, 수업 내용도 어려워지는 것 같아서 좀 그래. 혼자서 하려니까 너무 힘들어 죽겠어. 나 좀 도와줘라.

박지성: 걱정하지 마. 동아리 활동을 해 보는 건 어때? 내가 회장으로 활동하고 있는 토론 동아리도 있고 언어를 교환하는 동아리도 있고…….

아멜리: 언어 교환 동아리? 그게 뭔데?

박지성: 서로 다른 나라 사람들이 만나서 자기 나라 언어를 상대방에게 알려주는 동아리야.

아멜리: 한국 친구도 사귈 수 있고 한국어도 쉽게 배울 수 있고 일석이조네! 오늘 당장 같이 가 보자!

파하드: 아멜리, 여기서 뭐 해?

아멜리: 어, 파하드. 친구랑 동아리에 대해 얘기하고 있었어. 인사해. 이쪽은 나하고 가장 친한 한국 친구 박지성이야. 지성아, 이쪽은 나랑 같이 한국어를 공부하고 있는 파하드야.

파하드: 안녕하세요? 아멜리 친구 파하드예요. 사우디 사람이고 대학원 입학을 준비하고 있어요.

박지성: 예, 안녕하세요? 박지성입니다. 인상이 되게 밝으시네요. 앞으로 종종 봬요.

표현

1. DV-아/어 죽겠다

1) 배고파 죽겠다.
2) 밤에 잠을 잘 못 자서 졸려 죽겠다.

2. AV-는 건 어때요? = -는 게 어때요? = -지 그래요?

1) 공부하러 도서관에 가는 건 어때요?
2) 이 책을 사는 게 어때요?
3) 감기에 걸렸으면 병원에 가지 그래요?

발음 303

1. 'V-(으)ㄹ' 뒤에 오는 'ㅂ, ㄷ, ㅅ, ㅈ, ㄱ'은 [ㅃ, ㄸ, ㅆ, ㅉ, ㄲ]로 발음된다.

1) 한국 친구도 사귈 수 있고 한국어도 쉽게 배울 수 있어.
2) 내가 한번 해 볼게.

5. N아/야

: 가까운 사이나 아랫사람, 동물을 부르거나 사물을 사람인 것처럼 부를 때 사용한다.

1) 수연아, 오후에 나랑 같이 인사동에 가자.
2) 수지야, 지난번에 빌려 준 책 잘 봤어.
3) 얘들아, 어서 와서 밥 먹어라.

- 막상
- 머릿속

6. AV-(으)려니까

: 행동의 의도나 곧 일어날 움직임을 나타내면서 그것이 뒤 상황의 배경이나 전제임을 나타낸다.

1) 가: 출발했어?
   나: 아직 출발 못 했어. 집에서 나가려니까 갑자기 비가 오네.
2) 가: 공부 안 하고 자는 거야?
   나: 막상 공부하려니까 너무 졸려서.
3) 가: 왜 이렇게 못 먹니?
   나: 막상 먹으려니까 배가 아파서 못 먹겠어요.
4) 가: 밖이 어두운데 아직 집에 안 갔어요?
   나: 혼자 가려니까 무서워서 못 가겠어요.
5) 가: 면접은 잘 봤어요?
   나: 질문에 대답하려니까 갑자기 머릿속이 하얘져서 못 봤어요.

연습하기

1. 다음과 같이 이야기해 보십시오.

지성 / 친구한테 사과하다
쑥스럽다 / 아직 못 하다
가: 지성**아,** 친구한테 사과**했어?**
나: **아니,** 사과하**려니까** 쑥스러**워서** 아직 못 **했어.**

1) 수지 / 동아리에 가입하다
   자신이 없다 / 구경만 하고 오다
2) 승우 / 다이어트를 시작하다
   먹고 싶은 음식이 계속 생각나다 / 시작도 못 하다
3) 민호 / 고향 음식을 만들다
   재료가 부족하다 / 만들지 못하다
4) 수현 / 일기를 쓰다
   귀찮다 / 생각만 하다
5) 지은 / 부모님께 편지를 쓰다
   할 말이 없다 / 아직 못 쓰다

- 쑥스럽다
- 가입하다
- 귀찮다

듣기 304

※ 다음을 잘 듣고 물음에 답해 보십시오.

• 왠지
• 반복되다
• 일상

1. 들은 내용과 같은 것을 고르십시오.

① 항상 반복되는 일상이 지루하다.
② 학교생활은 단순하지만 재미있다.
③ 잔디밭에 앉아 친구들과 이야기하고 싶다.
④ 막상 동아리에 가입하니까 긴장이 된다.

2. 여자가 할 행동으로 알맞는 것을 고르십시오.

① 도서관에 가서 영화를 본다.
② 잔디밭에 앉아서 책을 읽는다.
③ 관심 있는 동아리를 알아본다.
④ 친구들과 함께 점심을 먹는다.

말하기

의견과 이유 표현하기

※ 본인의 학교생활에 대해 이야기해 봅시다.

1. 지금은 어떤 학교생활을 하고 있는지 생각해 봅시다.

- 공부
- 친구
- 축제
- 도서관 이용
- 식당
- 동아리 활동
- 아르바이트
- 학생회
- 운동
- 매점
- 사제 관계
- 시설 사용
- 기타

1) 무엇이 재미있습니까?

2) 무엇이 아쉽습니까?

3) 그 이유는 무엇입니까?

- 사제
- 시설
- 아쉽다

2. 다음과 같이 이야기해 보십시오.

예

가: 학교생활을 해 보니까 뭐가 재미있어?

나: 나는 학생회가 재미있는 것 같아. 여러 사람도 만나고 내가 직접 학교 행사나 규칙도 만들 수 있어서 좋아. 너는 어때?

가: 나는 밤에 운동장에서 운동하는 게 좋아. 밤에 농구를 하러 나가면 운동장에 불도 켜져 있어서 운동하기 편하고 새 친구도 사귈 수 있어서 좋아. 그런데 아쉬운 것도 있지 않아?

읽기

• 글쓴이
• 조회
• 홍보
• 근로
• 장학생
• 온라인
• 지원
• 대상
• 본교
• 재학생
• 블로그
• 운영
• 기간
• 주요
• 업무
• 인원
• 지원서
• 첨부
• 파일
• 마감
• 선발
• 심사
• 개별
• 최종

※ 다음을 읽고 물음에 답해 보십시오.

제목	인하누리 모집 안내				
글쓴이	김샛별	작성일	20○○-06-14	조회 수	45
내용	**인하누리(홍보팀 근로 장학생) 모집 안내** 인하대학교 온라인 홍보를 함께 할 인하누리단을 아래와 같이 모집합니다. ● **지원 대상**: 본교 재학생 중 블로그 운영 경험자 ● **활동 기간**: 20○○년 8월부터 ● **주요 업무**: – 온라인 홍보 활동(본교 홍보 블로그 및 페이스북 운영 등) – 월 2회 인하누리단 회의 참석 – 홍보하는 글 작성(학기 중 주 1회, 방학 중 주 2회) ● **모집 인원**: 0명 ● **지원 방법**: 아래 지원서(첨부 파일)를 작성하여 이메일 접수 inhanuri@inha.ac.kr ● **지원 마감**: 20○○년 7월 7일(일) ● **선발 방법**: 1차 서류 심사 (합격자 개별 연락) → 2차 개별 면접 → 최종 선발 ● **문의**: 홍보팀 032-860-9109 관심 있는 학생들의 많은 지원을 바랍니다. [지원서] 인하누리지원-학과-학번-이름.hwp				
이전글 ▲	정석학술정보관 운영시간 안내				
다음글 ▼	인문학 교육생 모집				

1. 이 글을 쓴 목적은 무엇입니까?

• 목적
• 참여하다

2. 이 글의 내용과 같은 것을 고르십시오.

① 인하누리단은 인하대학교를 알리는 모임이다.
② 인하대학교 재학생은 누구나 신청할 수 있다.
③ 매달 한 번씩 있는 회의에 참여해야 한다.
④ 방학 중에는 매주 한 번 글을 써야 한다.

쓰기

게시판에 글쓰기

※ 학교 게시판에 글을 써 보십시오.

1. 아래 내용에 대해 생각해 보십시오.

- 모집하는 글
- 안내하는 글
- 문의하는 글
- 요청하는 글
- 중고 물품 판매 / 구입하는 글

1) 학교 게시판에서 어떤 글을 볼 수 있습니까?

2) 여러분은 어떤 글을 쓰겠습니까?

- 요청하다
- 물품
- 판매
- 구입하다
- 바탕
- 개요
- 완성하다
- 신분증

2. 생각한 내용을 바탕으로 개요를 완성해 보십시오.

제목	
자세한 정보	
정리	

3. 개요를 바탕으로 다음과 같이 글을 써 보십시오.

예

은행 카드를 주웠습니다.

9호관 5층에서 은행 카드를 잃어버리신 분은 9호관 516호로 와 주시기 바랍니다. 오늘 아침에 주워서 가지고 있습니다. 카드에 PARK JI SUNG 이라고 이름이 써 있습니다. 찾으러 오실 때 신분증 꼭 가지고 오세요!

문화 이해하기

- 간
- 법
- 높임말
- 반말

"선배님, 식사하셨어요?"

학교에서는 선배와 후배 간에는 보이지 않는 법이 있다. 한 살 정도 차이가 나거나 오히려 후배가 나이가 더 많은 경우도 있지만 보통 후배는 선배에게 높임말을, 선배는 후배에게 반말을 사용한다. 선후배 관계가 친해지고 가까워지면 "선배, 오늘 뭐 해?"와 같이 반말을 사용하기도 하지만 어디서나 후배가 선배를 어려워한다. 나보다 나이가 어린 선배에게 높임말을 한다는 것은 먼저 학교생활을 시작한 것에 대한 존중의 의미가 아닐까?

※ 이야기해 보십시오.

1. 후배가 선배에게 높임말을 쓰는 이유는 무엇입니까?

2. 여러분 나라에서는 선후배 관계에서 어떤 말을 사용합니까?

M.E.M.O.

제2과 모임

준비하기 1
게시판 보고 이야기하기
AV-는 바람에
AV-(으)ㄹ 뻔하다

준비하기 2
동아리 모임 소개하기
V-(으)ㄹ 뿐이다, N일 뿐이다
AV-는 대로[1]

듣기
들은 내용 이해하기

말하기
만들고 싶은 모임 이야기하기

읽기
동호회 참가 경험에 대한 수필 읽기

쓰기
모임 참석 후기 쓰기

문화 이해하기
한국인의 회식 문화

2 모임

준비하기1 305

게시판 보고 이야기하기

• 숨차다
• 지각하다
• 실력

파하드: 아유, 숨차. 나 지각 아니지? 아침에 늦잠을 자는 바람에 오늘도 지각할 뻔 했네.

아멜리: 좀 일찍 일어나는 게 어때?

파하드: 알겠어. 마음은 그런데 생각처럼 쉽지가 않네. 그런데 지금 뭘 그렇게 보고 있어? 게시판에 뭐가 있어?

아멜리: 응. 동아리에 가입할까 해서 보고 있어. 학교에서 수업만 하니까 한국 생활이 조금 지루해서 모임에 가입하려고. 그리고 선생님이 아닌 다른 한국인을 만나 보고 싶어.

파하드: 그러면 나도 한번 해 볼까? 선생님만 만나서 그런지 다른 한국인을 만나면 그 사람의 말을 알아들을 수가 없어.

아멜리: 맞아. 동아리 활동을 하면 한국어 실력도 늘고 친구도 사귈 수 있을 거야.

파하드: 좋아. 우리 같이 찾아보자.

(잠시 후)

파하드: 여기 재미있는 동아리가 있어. 한국인하고 외국인하고 함께 토론을 하는 모임이야. 나 이 동아리에 가입하고 싶어.

아멜리: 그래? 재미있겠네. 친구도 많이 사귈 수 있겠지? 한번 가 보자.

표현

1. V-(으)ㅁ

1) 이 책이 너에게 도움이 되기를 바란다.
2) 내 삶에서 가장 큰 기쁨은 너를 만난 일이야.

1. AV-는 바람에

: 뒤에 일어나는 상황의 이유나 원인을 나타낸다.

1) 가: 왜 이렇게 늦었어요?

나: 미안해요, 일찍 출발했는데 버스가 안 오는 바람에 늦었어요.

2) 가: 제냐 씨, 어제 보내기로 한 자료 보냈어요?

나: 아니요, 어제 갑자기 컴퓨터가 고장 나는 바람에 못 보냈어요.

3) 가: 옷이 다 젖었네요.

나: 갑자기 폭우가 쏟아지는 바람에 비를 다 맞았어요.

4) 가: 세탁한 옷들인데 더럽네요.

나: 돌풍이 부는 바람에 옷이 전부 바닥에 떨어져서 그래요.

5) 가: 팔이 왜 그래요?

나: ______________________________ 다쳤어요.

• 자료
• 폭우
• 쏟아지다
• 돌풍
• 바닥

2. AV-(으)ㄹ 뻔하다

: 사실은 일어나지 않았지만 어떤 일이 거의 일어날 것 같았음을 나타낸다.

1) 가: 많이 배고프시죠? 맛있게 드세요.

나: 감사합니다. 하루 종일 밥도 못 먹고 일하는 바람에 배고파서 죽을 뻔했어요.

2) 가: 왜 그렇게 소금을 많이 넣으세요? 원래 음식을 짜게 드세요?

나: 아까 넣었는데 깜박하고 소금을 더 넣을 뻔했네요. 고마워요.

3) 가: 유학 생활이 많이 힘들지?

나: 응. 어제는 가족이 보고 싶은 마음에 전화하면서 눈물이 날 뻔했어.

4) 가: 어제 친구를 잘 만났어요?

나: 네, 길이 막혀서 약속 시간에 늦을 뻔했는데 다행히 안 늦었어요.

5) 가: 듣기 시험 잘 봤어?

나: 응, 잘 봤는데 옆 사람이 재채기하는 바람에 못 들을 뻔했어.

• 소금
• 깜박하다
• 다행히
• 재채기

연습하기

1. 다음과 같이 이야기해 보십시오.

- 거칠다
- 지나치다
- 헉헉대다
- 동료
- 해고
- 당하다

왜 숨을 거칠게 쉬다
늦잠을 자다 / 지각을 하다
가: 왜 숨을 거칠게 쉬**어요?**
나: 늦잠을 자**는 바람에** 지각을 할 **뻔했어요.**

1) 왜 그렇게 잠을 많이 자다
회사에서 할 일이 많아지다 / 피곤해서 죽다
2) 뭐 때문에 그렇게 놀랐다
지하철에서 잠이 들었다 / 내릴 역을 지나치다
3) 왜 이렇게 헉헉대다
시계를 잘못 보다 / 기차를 놓치다
4) 무슨 일로 동료에게 화를 냈다
동료가 실수하다 / 내가 회사에서 해고 당하다
5) 어디 다쳤다
아니요. 급하게 오다가 넘어지다 / 무릎을 다치다

준비하기2 306 동아리 모임 소개하기

- 그냥
- 웬일
- 설득하다
- 주제
- 관련되다
- 사회적
- 이슈
- 평안 감사도 저 싫으면 그만이다
- 이기적

박지성: 어? 아멜리, 반가워. 파하드 씨도 반가워요. 여기는 어떻게 왔어?

아멜리: 지성아, 반갑다. 그냥 한번 와 봤어. 너는?

박지성: 나는 이 동아리에서 회장이야. 너는 언어 교환 동아리에 관심이 있었잖아. 나는 네가 그 동아리에 가서 가입할 거라고 생각했는데 이곳은 웬일이야?

파하드: 제가 이 동아리에 가입하고 싶어서 왔어요. 아멜리는 저하고 같이 왔어요. 아마 잘 설득하면 동아리에 가입할 거예요.

박지성: 그렇군요. 그럼 제가 저희 동아리를 소개해 드릴게요. 우리 동아리는 다양한 주제를 가지고 서로의 생각을 듣는 모임이에요. 한국과 관련된 여러 가지 주제와 뉴스에 나온 사회적 이슈가 토론의 주제가 되기도 하고…….

아멜리: 잠깐만! 나는 그냥 한국 친구들을 사귀고 싶을 뿐이야. 그래서 편하게 생각하고 왔는데 네 이야기를 들으니까 머리가 복잡해지네.

박지성: 그래? 잘 생각해 봐. 한국 사람들과 토론을 하게 되면 너에게 큰 도움이 될 거야. 하지만 평안 감사도 저 싫으면 그만인데 뭐.

파하드: 아멜리, 난 이 동아리에 가입하고 싶은데 너도 같이 하자.

아멜리: 아직 고민 중이니까 결정하는 대로 말해 줄게.

표현

1. N적

1) 저 사람은 이기적이야.
2) 긍정적인 사람은 모든 일을 좋은 쪽으로 생각하는 사람이다.

발음 307

1. 받침소리 [ㅂ, ㄷ, ㄱ] 뒤에 오는 'ㅂ, ㄷ, ㅅ, ㅈ, ㄱ'은 [ㅃ, ㄸ, ㅆ, ㅉ, ㄲ]로 발음된다.

1) 늦잠을 자는 바람에 지각했다.
2) 학생들과 친해질 수 있을 거야.

• 과제
• 연애하다

3. V-(으)ㄹ 뿐이다, N일 뿐이다

: 현재의 상황 이외에 다른 선택의 가능성이 없을 때 사용한다.

1) 가: 주말에 보통 뭐 해?
   나: 하루 종일 집에서 과제만 할 뿐이야.
2) 가: 그 사람은 어떤 사람이야?
   나: 키가 좀 작을 뿐이야. 하지만 성격은 참 좋아.
3) 가: 빨리 들어오라고 전화까지 했는데 지금이 몇 시야?
   나: 좀 늦었을 뿐인데 왜 이렇게 화를 내세요?
4) 가: 어디 아파요? 얼굴이 빨개요.
   나: 아니요, 그냥 조금 더울 뿐이에요.
5) 가: 두 사람이 연애하는 사이예요?
   나: 아니요, 그냥 친하게 지내는 사이일 뿐이에요.

✔ **N뿐이다**

나에게는 너뿐이야.

• 도대체
• 갚다

4. AV-는 대로[1]

: 앞에 어떤 행동이 나타나는 즉시 뒤의 행동을 할 때 사용한다.

1) 가: 도착하면 바로 연락해라.
   나: 네, 도착하는 대로 전화 드리겠습니다.
2) 가: 이번 방학 때는 뭐 할 계획이에요?
   나: 학기가 끝나는 대로 해외여행을 떠날까 해요.
3) 가: 메시지를 받는 대로 답장해 주세요.
   나: 예, 확인하고 바로 답장할게요.
4) 가: 대학교는 언제 가려고 해?
   나: 언어교육원을 수료하는 대로 입학할 생각이야.
5) 가: 도대체 3년 전에 빌려간 돈은 언제 갚을 거야?
   나: 미안해, 돈을 버는 대로 갚을게.

연습하기

1. 다음과 같이 이야기해 보십시오.

이 바지가 어떻다
디자인만 괜찮다
가: 이 바지가 어때**?**
나: 디자인만 괜찮**을 뿐이야.**

• 장점
• 그저

1) 집에 무엇이 있다
   책상만 있다
2) 일요일에 무엇을 하다
   하루 종일 잠만 자다
3) 그 사람의 장점이 무엇이다
   얼굴만 예쁘다
4) 뭘 그렇게 많이 먹다
   다른 거 없이 그저 밥만 먹다
5) 저 사람과 무슨 사이이다
   친구이다

2. 다음과 같이 이야기해 보십시오.

대학교에 입학하다
동아리에 가입하다
가: 대학교에 입학하**면 뭐 할 거예요?**
나: 대학교에 입학하**는 대로** 동아리에 가입할 **거예요.**

• 진학하다
• 마련하다
• 종이학
• 유리병

1) 고향에 돌아가다
   엄마가 만들어 주시는 밥을 먹다
2) 여름이 시작되다
   부산으로 여행을 가다
3) 한국어능력시험에 합격하다
   대학교에 진학하다
4) 첫 월급을 받다
   부모님께 드릴 선물을 마련하다
5) 종이학을 만들다
   유리병에 담아서 친구에게 선물하다

• 당연히
• 바뀌다
• 미루다
• 일치하다

※ 다음을 잘 듣고 물음에 답해 보십시오.

1. 내용과 일치하는 것을 고르십시오.

① 두 사람은 매일 통화를 한다.
② 파하드가 아멜리에게 전화를 걸었다.
③ 아멜리는 이번 모임에 가지 못할 뻔했다.
④ 이번 주 금요일에 지난 급 학생들이 모인다.

2. 두 사람이 통화한 이유를 고르십시오.

① 다음 주에 같은 반에서 공부한 친구들과 모인다.
② 두 사람의 약속 시간이 다음 주 주말로 바뀌었다.
③ 아멜리는 파하드의 부모님을 함께 만나기로 했다.
④ 선생님께 하고 싶은 말이 있어서 함께 가려고 한다.

말하기

만들고 싶은 모임 이야기하기

※ 모임에 대해 이야기해 보십시오.

1. 혼자 하면 좋은 것과 같이 하면 좋은 것은 어떤 것이 있는지 생각해 보십시오.

• 한국어 공부 • 어학연수 • 산악자전거 타기 • 영화 감상
• 여행 • 쇼핑 • 보드게임

1) 혼자 하면 좋은 것과 같이 하면 좋은 것은 무엇입니까?
2) 그 이유는 무엇입니까?
3) 여러분은 어떤 모임을 만들고 싶습니까?

• 어학연수
• 산악자전거
• 보드게임

2. 다음과 같이 이야기해 보십시오.

예

가: 아멜리 씨, 친구와 어떤 것을 함께 하면 좋을까요?
나: 저는 영화 감상을 친구와 같이 하면 좋을 것 같아요. 좋아하는 영화를 본 후에 같이 그 영화에 대해서 이야기를 하면 영화를 이해하기가 쉽고 영화를 더 재미있게 볼 수 있으니까요. 그래서 저는 영화 감상 모임을 만들고 싶어요. 자르갈 씨는요?

읽기

동호회 참가 경험에 대한 수필 읽기

※ 다음을 읽고 물음에 답해 보십시오.

- 꽤
- 홀로
- 차도
- 무리
- 검색하다
- 마음먹다
- 기대감
- 반기다
- 속도
- 맨
- 단지

내 취미는 자전거를 타는 것이다. 혼자 타는 것도 꽤 좋아하지만, 최근에는 왠지 홀로 자전거를 타는 것이 지루해졌다. 가끔 차도에서 혼자 자전거를 탈 때면 무서워서 지나가는 자전거 동호회 무리에 몰래 껴서 타기도 했다.

이렇게 계속 취미로 자전거를 타니 좀 더 재미있게 타고 싶은 마음이 생겼다. 그래서 인터넷으로 인천 지역에서 자전거를 타는 모임을 검색해 보았다. 여러 동호회 중에서 용현동 근처에서 모임을 하는 동호회에 참여하기로 마음먹었다.

모임 첫 날 어떤 사람이 있을지 내가 너무 느려서 피해가 되면 어떡할지 기대감 반, 불안감 반으로 모임에 갔다. 모임 장소에 가 보니 자전거의 종류가 다양하고 생각보다 여자들도 많았다. 사람들은 내가 외국인이기 때문에 나를 반기며 여러 가지 질문을 했다. 덕분에 어색함 없이 다른 사람들과 친해질 수 있었다.

이 동호회는 좋은 점이 많다. 자신의 속도가 느려서 피해가 될까 봐 걱정하는 사람들을 회장이 맨 뒤에서 따라오면서 다 챙겨 주었다. 그래서 자전거를 정말 편하게 탈 수 있었다. 공원에서 쉬면서 사진도 찍고 맛있는 식당에서 함께 음식도 먹으면서 재미있는 시간을 보냈다.

자전거를 혼자 탈 때는 단지 취미로 자전거만 탈 뿐이었는데 다른 사람들과 함께 자전거를 타니까 사람들과 친해지고 집 근처의 아름다운 곳도 알 수 있어서 좋았다. 다음에 또 참석해서 오늘 함께한 사람들과 좋은 시간을 보내고 싶다.

1. 이 사람이 동호회에 참여하는 이유를 고르십시오.

① 한국어를 배우기 위해서
② 한국 사람들을 사귀고 싶어서
③ 유명한 음식점을 알고 싶어서
④ 자전거를 혼자 타는 것이 지루해져서

2. 이 동호회의 장점이 아닌 것을 고르십시오.

① 자전거를 어떻게 타면 빨리 탈 수 있는지 친절하게 알려준다.
② 동호회 회장이 제일 뒤에서 속도가 느린 사람들을 도와준다.
③ 자전거만 타는 것이 아니라 쉬면서 대화도 할 수 있다.
④ 사람들과 함께 식사도 하고 즐거운 시간을 보낼 수 있다.

쓰기

모임 참석 후기 쓰기

※ 모임에 참석한 경험에 대해 글을 써 보십시오.

1. 참석한 모임에 대해 생각해 보십시오.

1) 어떤 모임에 참석했습니까?
2) 그 모임에 참석한 이유가 무엇입니까?
3) 그 모임에서 무엇을 했습니까?
4) 그 모임에서 느낀 점은 무엇입니까?

2. 생각한 내용을 바탕으로 개요를 완성해 보십시오.

처음	참석한 모임: 참석한 이유:
중간	모임에서 한 일 1) 2) 3)
끝	느낀 점

3. 개요를 바탕으로 글을 써 보십시오.

문화 이해하기

- 회식
- 연장선
- 장면
- 직원
- 상사
- 여기다
- 세대
- 건전하다
- 늘어나다
- 레저
- 맛집
- 탐방
- 감상
- 친목
- 다지다
- 공동체
- 의식

한국에서 회식은 일의 연장선이다. 한국의 드라마나 영화를 보면, 같은 회사에 다니는 직장인들이 함께 식사를 하면서 술을 마시는 장면을 자주 볼 수 있다. 회식을 하면 직원들이 상사의 기분을 좋게 하려고 노력한다. 상사를 자신의 부모나 형으로 여기기 때문이다. 과거에 회식은 술을 마시는 것이 기본이었다. 그래서 회식에서는 술을 많이 마셨고 자정이 넘어서 끝났다.

그러나 세대가 변하면서 회식 문화도 바뀌고 있다. 건전한 회식 문화를 만들고 싶어 하는 사람들이 늘어나고 있기 때문이다. 예를 들면, 스포츠 경기를 관람하거나 함께 운동을 하는 운동·레저형 회식, 유명한 식당을 찾아가는 맛집 탐방 회식, 영화나 연극, 뮤지컬 등을 보는 예술 감상형 회식 등이 있다. 지금은 술이 아닌 건전한 모임을 통해 친목을 다지고 공동체 의식을 느끼기 위한 회식 문화가 나타나고 있다.

※ 이야기해 보십시오.

1. 한국인의 회식 문화를 들어 본 적이 있습니까? 어떤 것이 있습니까?

2. 여러분은 어떤 회식 문화가 더 좋다고 생각합니까? 그 이유는 무엇입니까?

3. 여러분 나라에서는 회식과 비슷한 모임이 있습니까? 소개해 봅시다.

M.E.M.O.

제3과 성격과 감정

준비하기 1
혈액형별 성격 이야기하기
V-(으)며, N(이)며
V-(ㄴ/는)다고 하다, N(이)라고 하다

준비하기 2
감정 표현하기
V-냐고 하다, N(이)냐고 하다
AV-자고 하다
AV-(으)라고 하다

듣기
계절에 따른 감정 표현 듣기

말하기
상황에 따른 감정 표현하기

읽기
성격 관련 심리 테스트 읽기

쓰기
성격 묘사하기

문화 이해하기
한국인의 급한 성격

3 성격과 감정

준비하기1 309

혈액형별 성격 이야기하기

- 혈액형
- 유형
- 책임감
- 꼼꼼하다
- 소심하다
- 소 잃고 외양간 고친다

자르갈: 뭘 그렇게 열심히 보고 있어?

아멜리: 잡지에 있는 혈액형별 성격 유형이요. 재미로 보는 거지만 신기하게도 잘 맞는 것 같아요.

자르갈: 그래? 그럼 내 성격으로 보면 나는 무슨 혈액형인 것 같아?

아멜리: A형이요. 여기에 보면 A형은 부드러우며 따뜻한 성격이라고 해요. 그리고 책임감이 강하고 모든 일에 꼼꼼하다고 해요. 하지만 단점으로는 너무 소심해서 사소한 일에 걱정을 많이 한다고 하니까 선배는 A형 같아요. 맞아요?

자르갈: 응, 맞아. 정말 신기하네.

아멜리: 그런 선배의 성격이 부러워요. 저는 선배와는 다르게 꼼꼼하지 않은 편이거든요. 소 잃고 외양간 고친다고 항상 일을 잘못한 후에 후회를 해요.

자르갈: 그래도 너는 나에게 없는 다른 좋은 장점을 가지고 있잖아.

표현

1. N별

1) 반별로 모이세요.
2) 급별로 사진을 찍었어요.

1. V-(으)며, N(이)며

: 두 가지 이상의 사실을 같이 말하거나 둘 이상의 사실을 함께 가지고 있음을 나타낸다.

1) 가: 내일은 눈이 많이 오며 바람도 불겠습니다.

나: 그럼 집에서 TV를 보며 쉬어야겠네요.

2) 가: 오위노 씨는 인기가 많은가 봅니다.

나: 네, 오위노 씨는 착하며 친절해서 인기가 많습니다.

3) 가: 한국의 지형은 어떻습니까?

나: 한국은 동쪽으로 산이 있으며 서쪽으로는 평야가 있습니다.

4) 가: 수업 시간에 어떻게 공부를 합니까?

나: 저는 선생님 설명을 들으며 문장을 생각합니다.

5) 가: 어제 만난 그분은 작가가 맞지요?

나: 네, 그분은 작가며 교수님이십니다.

- 지형
- 평야
- 작가

2. V-(ㄴ/는)다고 하다, N(이)라고 하다

: 다른 사람에게 들은 내용을 다시 말할 때 사용한다.

1) 가: 한국 사람들은 한복을 언제 입을까요?

나: 수연 씨가 한국 사람들은 특별한 날에 한복을 입는다고 했어요.

2) 가: 내일 등산 가는데 날씨가 맑으면 좋겠다.

나: 뉴스에서 들었는데 내일은 비가 많이 온다고 했어.

3) 가: 아멜리 씨 여동생은 어때요? 본 적 있어요?

나: 아니요, 저도 말로만 들었는데 정말 귀엽다고 했어요.

4) 가: 흐엉 씨가 오늘 되게 피곤해 보였어요.

나: 흐엉 씨가 어제 늦게까지 영화를 봤다고 했어요. 그래서 피곤했나 봐요.

5) 가: 주말에 파하드하고 놀러 갈까?

나: 파하드는 주말에 한국 친구와 인사동에 갈 거라고 했어.

6) 가: 메이 씨는 주말에 뭐 하는지 알아요?

나: 메이 씨는 주말마다 한국 음식을 만든다고 했어요.

7) 가: 한국어능력시험이 언제예요?

나: 다음 달 26일이라고 해요.

- 되게

연습하기

1. 다음과 같이 이야기해 보십시오.

• 배우자
• 대학원생

KTX를 타면 서울역에서 부산역까지 얼마나 걸리다
요금은 5만 원 정도이다 / 2시간 반 정도 걸리다
가: KTX를 타면 서울역에서 부산역까지 얼마나 걸립**니까?**
나: 요금은 5만 원 정도**이며** 2시간 반 정도 걸립**니다.**

1) 신문을 언제 읽다
저는 아침 식사를 하다 / 신문을 보다
2) 어떤 사람과 결혼을 해야 하다
배우자는 나를 사랑하다 / 믿을 수 있는 사람이어야 하다
3) 언제 공부가 잘 되다
음악을 듣다 / 공부를 할 때가 잘 되다
4) 고향의 날씨가 어떻다
겨울에는 매우 춥다 / 눈도 아주 많이 오다
5) 친구 분이 무슨 일을 하다
이 친구는 대학원생이다 / 무역회사 직원이다

2. 다음과 같이 이야기해 보십시오.

아멜리 / 어제 명동에 다녀왔다
가: 아멜리 **씨가 뭐라고 했어요?**
나: 어제 명동에 다녀왔**다고 했어요.**

1) 흐엉 / 주말에 친구 집에서 놀았다
2) 오위노 / 너무 바빠서 요즘은 잠 잘 시간이 없다
3) 로빈 / 어제 많이 아팠다
4) 자르갈 / 그 사람은 한국사람이 아니고 몽골사람이다
5) 4급 친구 / 3급 시험은 정말 어려울 것이다

준비하기2 310

감정 표현하기

• 따분하다
• 실망하다

로빈: 어제 파하드가 이번 주말에 어디에 갈 거냐고 물어 봤어. 집에만 있으니까 따분하다고 주말에 등산을 가자고 하네.

메이: 우리 주말에 만나서 같이 공부하기로 했잖아.

로빈: 그래서 너랑 도서관에 가기로 먼저 약속을 했는데 파하드도 괜찮으면 오라고 했어.

메이: 좀 실망했겠네. 심심해서 놀고 싶어 하는 것 같은데……,

로빈: 최근에 파하드가 여자 친구와 헤어지는 바람에 많이 우울해했어. 짜증도 많이 내고 외로워 보였는데 거절한 게 좀 미안했어.

메이: 그럼 도서관에 가지 말고 파하드랑 함께 등산을 갈까? 주말에 날씨도 좋다고 하니까 파하드의 기분을 풀어주는 게 좋겠다.

발음 311

1. 단어에서 언제나 경음으로 발음되는 단어들이 있다.

1) 소 잃고 외양간 고친다.
2) 잡지에 있는 혈액형별 성격 유형이요.

3. V-냐고 하다, N(이)냐고 하다

: 다른 사람에게 들은 질문을 다시 말할 때 사용한다.

1) 가: 자르갈 씨가 뭐라고 해요?

나: 자르갈 씨가 주말에 주로 무엇을 하냐고 해요.

2) 가: 어머니께서 뭐라고 하셨어요?

나: 어머니께서 지금 한국은 춥냐고 하셨어요.

3) 가: 아멜리 씨가 뭐라고 물어 봤어요?

나: 아멜리 씨가 노민우 선생님께서 결혼하셨냐고 했어요.

4) 가: 메이 씨가 뭐라고 물어 봤어요?

나: 메이 씨가 이번 방학 때 어디에 갈 거냐고 했어요.

5) 가: 파하드가 뭐라고 물어 봤어?

나: 파하드가 로빈은 지금 어디에 사냐고 물어 봤어.

6) 가: 로빈이 뭐라고 했어?

나: 로빈이 저 사람이 학생이냐고 했어.

4. AV-자고 하다

: 다른 사람의 제안을 다시 말할 때 사용한다.

1) 가: 아멜리 씨가 무엇을 하자고 해요?

나: 아멜리 씨가 오늘 저녁에 불고기를 먹자고 해요.

2) 가: 메이 씨가 무엇을 하자고 했어요?

나: 메이 씨가 수업이 끝나고 커피 한 잔 마시자고 했어요.

3) 가: 수연 씨가 주말에 무엇을 하자고 했어요?

나: 수연 씨가 주말에 동대문으로 쇼핑을 가자고 했어요.

4) 가: 선생님께서 어떻게 하자고 하셨어요?

나: 교실에서는 한국어만 사용하자고 하셨어요.

5) 가: 자르갈이 뭐 하자고 했어?

나: 자르갈이 이번 방학 때 같이 여행을 하자고 했어.

5. AV-(으)라고 하다

: 다른 사람의 명령을 다시 말할 때 사용한다.

1) 가: 흐엉 씨가 뭐라고 해요?
   나: 흐엉 씨가 책을 많이 읽으라고 해요.
2) 가: 친구가 뭐라고 했어요?
   나: 친구가 오늘은 집에 빨리 오라고 했어요.
3) 가: 선생님께서 뭐라고 하셨어요?
   나: 선생님께서 학교 앞에서는 담배를 피우지 말라고 하셨어요.
4) 가: 로빈 씨가 뭐라고 했어요?
   나: 로빈 씨가 돈 좀 빌려 달라고 했어요.
5) 가: 메이 씨, 수지 씨가 이 책을 메이 씨에게 전해 주라고 했어요.
   나: 네, 고마워요.
6) 가: 아멜리 씨가 뭐라고 했어요?
   나: 아멜리 씨가 이 약을 먹고 감기 빨리 나으라고 했어요.

✓ 주라고 하다

✓ 달라고 하다

연습하기

1. 다음과 같이 이야기해 보십시오.

로빈 / 무슨 일 때문에 기분이 나쁘다
가: 로빈 **씨가 뭐라고 물어 봤어요?**
나: 로빈 **씨가** 무슨 일 때문에 기분이 나쁘**냐고 했어요.**

1) 흐엉 / 한국 음식을 만들 줄 알다
2) 메이 / 요즘 한국 생활이 어떻다
3) 파하드 / 공부할 때 음악을 듣다
4) 오위노 / 다음 달에 토픽 시험을 볼 것이다
5) 로빈 / 자르갈 씨 룸메이트가 회사원이다

2. 다음과 같이 이야기해 보십시오.

자르갈 / 같이 음악을 듣다
가: 자르갈 **씨가 무엇을 하자고 했어요?**
나: 같이 음악을 듣**자고 했어요.**

1) 오위노 / 비가 오니까 밖에 나가지 말다
2) 흐엉 / 이번 주말에 영화를 보러 가다
3) 로빈 / 수업이 끝나고 파하드 씨 집에서 같이 놀다
4) 메이 / 반장 일을 우리가 도와주다
5) 수연 / 하루에 한 시간씩 걷다

3. 다음과 같이 이야기해 보십시오.

• 참가
• 비
• 학급

선생님 / 몸이 아프면 집에 가서 좀 쉬다
가: 선생님**께서 뭐라고 하셨어요?**
나: 선생님**께서** 몸이 아프면 집에 가서 좀 쉬**라고 하셨어요.**

1) 형 / 밖이 너무 추우니까 나가지 말다
2) 어머니 / 가방이 너무 무거운데 좀 도와주다
3) 선생님 / 참가비를 회장에게 주다
4) 선생님 / 반 친구들과 함께 학급 신문을 만들다
5) 아버지 / 단어가 어려우니까 수업 전에 미리 단어를 찾다

듣기 312

계절에 따른 감정 표현 듣기

※ 다음을 잘 듣고 물음에 답해 보십시오.

1. 여자의 기분이 바뀐 이유는 무엇입니까?

① 날씨가 화창하다가 갑자기 비가 와서
② 가을 날씨에 외로움을 느껴서
③ 봄을 좋아하지 않아서
④ 바람이 많이 불어서

2. '계절을 타다'의 의미로 맞는 것을 고르십시오.

① 봄과 가을에 찾아오는 마음의 질병
② 남자와 여자가 좋아하는 계절의 차이점
③ 계절과 날씨의 영향으로 감정이 변하는 것
④ 계절의 변화로 사람들의 생활이 변하는 것

- 창밖
- 물끄러미
- 괜히
- 서글프다
- 심란하다
- 화창하다
- 봄(을) 타다
- 영향
- 감정
- 기복
- 봄바람
- 싱숭생숭하다
- 쓸쓸하다
- 질병
- 차이점

말하기

- 상황
- 변화
- 지치다
- 숨(이) 막히다
- 깡충깡충
- 쥐어뜯다
- 집어던지다
- 신바람
- 흐뭇하다
- 뿌듯하다
- 후련하다
- 든든하다
- 날다
- 신경질
- 안타깝다

※ 상황에 따른 신체와 감정 변화에 대해 이야기 보십시오.

1. 다음과 같은 상황에서 어떤 변화가 있는지 생각해 보십시오.

신체적인 변화와 행동	감정적인 변화	
• 지치다	• 답답하다	• 싱숭생숭하다
• 입맛이 없다	• 심란하다	• 신경질이 나다
• 나른하다	• 신바람이 나다	• 우울하다
• 숨이 막히다	• 흐뭇하다	• 서글프다
• 멍하다	• 뿌듯하다	• 안타깝다
• 손에 땀이 나다	• 후련하다	• 짜증나다
• 깡충깡충 뛰다	• 시원하다	• 당황스럽다
• 쥐어뜯다	• 든든하다	• 쓸쓸하다
• 집어던지다	• 하늘을 날 것 같다	

	상황	신체적인 변화와 행동	감정적인 변화
기쁠 때			
화가 날 때			
슬플 때			
긴장할 때			
기타	봄에	입맛이 없다, 졸리다, 나른하다	싱숭생숭하다

2. 다음과 같이 이야기해 보십시오.

예

가: 계절을 타는 편이에요? 계절이나 날씨에 따라 어떤 감정 변화가 있어요?

나: 저는 봄이 되면 **입맛이 없으며 자주 졸려요.** 그리고 화창한 날씨 때문에 **마음이 싱숭생숭해져서** 공부에 집중이 잘 안 돼요. 흐엉 씨는 어때요?

읽기

※ 다음을 읽고 물음에 답해 보십시오.

아래 그림은 자신의 성격을 알아보는 그림입니다. 5초 동안 보고 마음에 드는 그림 하나를 선택해 보십시오.

그림 1을 선택한 당신은 내성적인 성격으로 자신과 환경에 대해 다른 사람들보다 많이 고민하는 사람입니다. 겉모습만 보고 판단하는 것을 싫어하기 때문에 여러 사람과 가벼운 관계를 만들기보다 ______㉠______ 혼자 있기를 좋아합니다.

그림 2를 선택한 당신은 자유를 선호하는 사람입니다. 그리고 매우 개성적이기 때문에 스스로의 생각과 신념을 갖고 행동합니다.

그림 3을 선택한 당신은 활동적이며 외향적인 사람입니다. 평범한 것에 재미를 느끼지 못하고 무슨 일이나 주도적으로 하길 좋아합니다.

그림 4를 선택한 당신은 현실적이며 평범한 삶을 추구하는 사람입니다. 따라서 주위 사람들과 잘 어울리며 따뜻하고 인간적인 사람으로 인정받고 있습니다.

그림 5를 선택한 당신은 그 누구보다도 자신을 믿으며 우연한 행운보다는 스스로 한 행동을 더 믿는 사람입니다. 또한 당신은 생각한 것이 현실화되기 전까지는 만족하지 않는 성격입니다.

그림 6을 선택한 당신은 긍정적이며 생각이 깊은 사람입니다. 당신은 세상과 평화롭게 공존하며 이 세상이 당신에게 주는 혜택에 감사하며 자신의 삶을 사랑하며 살고 있습니다.

그림 7을 선택한 당신은 감정이 매우 풍부한 사람입니다. 또한 인생을 살아가면서 꿈을 잃지 않는 것을 매우 중요하게 생각합니다.

- 초
- 내성적
- 환경
- 겉모습
- 자유
- 선호하다
- 신념
- 외향적
- 평범하다
- 주도적
- 현실적
- 삶
- 추구하다
- 인간적
- 인정받다
- 행운
- 현실화
- 만족하다
- 세상
- 평화롭다
- 공존하다
- 혜택
- 풍부하다

- 심지어
- 차라리
- 결단코
- 그다지
- 두텁다
- 사려

1. ㉠에 들어갈 알맞은 것을 고르십시오.

① 심지어　　② 차라리
③ 결단코　　④ 그다지

2. 위의 글을 읽고 맞는 것에 O, 틀린 것에 X하십시오.

1) 외향적인 사람은 다른 사람이 이끌어 주는 것을 좋아한다. (　　)
2) 내성적인 사람은 여러 사람과 두터운 관계를 만드는 것을 좋아한다. (　　)
3) 긍정적이고 사려 깊은 사람은 감사한 마음으로 자신의 삶을 사랑한다. (　　)

3. 여러분은 몇 번을 선택했습니까? 자신의 성격과 맞습니까?

쓰기

성격 묘사하기

※ 다른 사람의 성격에 대해 글을 써 보십시오.

1. 가까운 사람의 성격에 대해 생각해 보십시오.

1) 그 사람의 성격이 어떻습니까?
2) 무엇을 보고 그런 생각을 했습니까?
3) 그 사람의 성격 중에서 어떤 부분이 나와 잘 맞습니까? 또 어떤 부분이 잘 맞지 않습니까?

2. 생각한 내용을 바탕으로 개요를 완성해 보십시오.

처음	________의 성격은 ________________
중간	(언제) ________ 때 (무슨 일) ________________ 은/는 나와 비슷하다. ________________ 은/는 나와 다르다.
끝	

3. 개요를 바탕으로 글을 써 보십시오.

문화 이해하기

- 대표적
- 외치다
- 주변
- 자판기
- 핥다
- 깨물다
- 감싼다
- 녹이다
- 전주
- 간주
- 넘기다
- 경로
- 줄줄
- 효율성
- 중시하다
- 성장
- 발전
- 원동력
- 의견
- 성질
- 목표
- 향하다
- 통신
- 소비자
- 서비스
- 산업
- 경쟁력
- 수준
- 급속하다
- 풀이하다

한국인의 대표적인 성격 중의 하나는 바로 '빨리빨리'를 외치는 급한 성격이다. 이러한 모습은 우리 주변에서 쉽게 볼 수 있다.

상황	외국인	한국인
자판기의 커피를 마실 때	커피가 나온 후 불이 꺼지면 컵을 꺼낸다.	컵이 나오는 곳에 손을 넣고 기다린다.
버스를 탈 때		버스가 오면 버스가 서기도 전에 도로로 내려간다.
아이스크림을 먹을 때	핥아 먹는다.	한 입 크게 깨물어 먹다가 너무 차가워 두통에 머리를 감싼다.
사탕을 먹을 때	녹여 먹는다.	입에 넣자마자 깨물어 먹는다.
노래방에서		전주와 간주는 넘긴다.

지하철을 탈 때도 지하철 환승역의 빠른 이동 경로를 줄줄 외우는 사람이 있을 정도로 속도와 효율성을 중시하는 사람들이 많다. 대한민국의 빠른 성장과 발전의 원동력이 된 것은 바로 한국 사람의 '속도 DNA'덕분이 아니냐는 의견도 있다. 성질 급한 한국 사람들이 목표를 향해 급하게 뛰어서 IT 통신, 소비자 서비스 등 다양한 산업의 경쟁력이 세계적 수준으로 급속하게 발전한 것이 아닌가 하고 풀이하는 사람도 있다

※ 이야기해 보십시오.

1. 한국 사람들의 '빨리빨리'를 경험해 본 적이 있습니까? 여러분은 어떤 느낌을 받았습니까?

2. 여러분 나라 사람들의 대표적인 성격에 대해서 이야기해 봅시다.

M.E.M.O.

제4과 소식과 소문

준비하기 1
입학 정보 전달하기
V-(ㄴ/는)다는 N, N_1(이)라는 N_2
V-(ㄴ/는)대(요), N(이)래(요)

준비하기 2
면접 준비 방법 제안하기
V-냬(요), AV-(으)래(요), AV-재(요)
V-(ㄴ/는)다면서(요)?, N(이)라면서(요)?

듣기
들은 내용 전달하기

말하기
소식 전하기

읽기
대학생의 여름방학에 대한 신문 기사 읽기

쓰기
학교 신문 만들기

문화 이해하기
말과 관련된 속담

4 소식과 소문

준비하기1 313

입학 정보 전달하기

- 금시초문
- 홈페이지
- 공지
- 증명서
- 굉장히
- 진행되다
- 물론
- 지식
- 당장
- 백지장도 맞들면 낫다

파하드: 다음 주부터 대학원 신입생 입학 모집을 시작한다는 소식 들었어?

아멜리: 아니, 금시초문인데? 안 그래도 알아보려고 했는데 자세히 좀 얘기해 봐.

파하드: 학교 홈페이지에 공지가 올라왔는데 졸업 증명서랑 성적 증명서 등이 필요하대.

아멜리: 아, 그래? 서류는 당연히 제출해야 할 거고, 면접도 있대?

파하드: 응. 면접도 있대. 그런데 면접이 굉장히 어렵다는 소문을 들었어.

아멜리: 정말? 한국어로 진행되겠지?

파하드: 한국어로 하는 건 물론이고 전공에 대한 지식도 많아야 한대.

아멜리: 정말 걱정이다. 면접 준비는 어떻게 해야 하지?

파하드: 도와줄 사람을 찾아보는 게 어떨까? 나는 당장 내일부터 면접 준비하려고 하는데 같이 할래?

아멜리: 우리 둘이 준비하는 게 가능할까?

파하드: 백지장도 맞들면 낫다고 하잖아. 같이 한번 해 보자.

1. V-(ㄴ/는)다는 N, N_1(이)라는 N_2

: 들은 사실을 인용하여 나타내거나 생각하는 내용을 담아 뒤에 오는 말을 설명한다.

• 한걸음
• 소문

1) 어릴 때부터 좋은 습관을 길러야 한다는 말이 있다.
2) 잘 먹는다는 사람이 왜 이렇게 못 먹어요?
3) 내가 아프다는 말에 친구가 제일 먼저 찾아왔다.
4) 몸에 좋다는 음식을 찾아다니는 사람들이 있다.
5) 그가 돌아왔다는 소식을 듣고 한걸음에 달려왔다.
6) 자르갈 씨가 음식을 잘 만든다는 소문을 듣고 요리해 달라고 부탁했어요.
7) 이것이 나에게 줄 선물이라는 말을 믿을 수 없어요.

2. V-(ㄴ/는)대(요), N(이)래(요)

: 말하는 사람이 이미 알고 있는 사실을 알려줄 때 사용한다.

• 새롭다
• 낯설다
• 소중하다

1) 가: 메이 씨는 벌써 갔어요?
   나: 네, 약속이 있어서 먼저 간대요.
2) 가: 두 사람이 잘 통하나봐?
   나: 생각이 서로 잘 맞는대.
3) 가: 만난 지 10년이 지났는데 아직도 좋은가?
   나: 만날 때마다 새롭대요.
4) 가: 자르갈 씨가 그 곳은 처음이라고 했는데 어땠대요?
   나: 조금 낯설었지만 괜찮았대요.
5) 가: 저거 정말 중요한 물건인데…….
   나: 걱정하지 마세요. 소중하게 여기겠대요.
6) 가: 지금 파하드 씨가 뭐 때문에 바빠요?
   나: 친구들에게 요리해주고 싶어서 사우디 요리를 만든대요.
7) 가: 아멜리 씨는 혈액형이 뭐래요?
   나: O형이래요.

연습하기

1. 다음과 같이 이야기해 보십시오.

• 밤새

메이 씨가 고향에 가다 / 소식을 들었다
네 / 내일 가다

가: 메이 씨가 고향에 간**다는** 소식을 들었**어요?**
나: 네, 내일 간**대요.**

1) 백지장도 맞들면 낫다 / 말을 알다
   네 / 쉬운 일도 함께 하면 더 쉽다는 말
2) 수지 씨가 다이어트에 성공했다 / 소식을 들었다
   네 / 정말 날씬해졌다
3) 아멜리 씨가 그 일을 하겠다 / 말을 들었다
   네 / 그 일을 한다고 해서 모두 놀랐다
4) 자르갈 씨가 밤새 공부하다 / 소문을 들었다
   아니요 / 밤새 게임을 하다
5) 잃어버렸다 / 물건을 그 사람은 왜 계속 찾다
   꼭 필요한 물건이라서 그렇다

준비하기2 314

면접 준비 방법 제안하기

- 말
- 지원하다
- 모의
- 차분하다
- 시작이 반이다
- 일단
- 수월하다

아멜리: 선배, 대학원 신입생 입학 모집이 다음 주부터 시작된대요.

오위노: 벌써 시간이 그렇게 됐나?

아멜리: 네, 이번 달 말까지 서류를 내래요.

오위노: 입학 서류 준비는 끝났어?

아멜리: 졸업 증명서와 성적 증명서 같은 서류는 다 준비했는데 제가 지원하려는 전공은 면접도 있대요. 소문을 들어보니까 면접이 정말 어렵다면서요?

오위노: 면접 걱정은 하지 마. 마음먹고 하면 어려울 게 없다고 했어.

아멜리: 그래도 걱정돼요. 벌써부터 이렇게 긴장되는데…….

오위노: 친구랑 모의로 면접 연습을 해 보는 건 어때?

아멜리: 그렇지 않아도 파하드가 같이 준비해 보재요. 하지만 우리 둘이 잘 할 수 있을지 모르겠어요.

오위노: 차분한 마음으로 잘 해 봐. 나도 도와줄게. 시작이 반이라고 시작하기는 어렵지만 일단 면접 연습부터 하고 나면 수월하게 진행될 거야.

발음 315

1. 받침 'ㄴ, ㅁ'뒤에 오는 'ㄷ, ㅈ, ㄱ'은 [ㄸ, ㅉ, ㄲ]로 발음된다.

1) 다음 주부터 대학원 입학 모집을 시작한다는 소식 들었어?
2) 운동화를 신고 가려고요.

- 서두르다
- 원하다
- 높이다
- 요구
- 받아들이다

3. V-내(요), AV-(으)래(요), AV-재(요)

: 말하는 사람이 이미 알고 있는 질문이나 명령, 제안을 다시 말할 때 사용한다.

1) 가: 파하드 씨가 뭐래요?
   나: 지금 어디냬요.
2) 가: 통화 내용 좀 알려주시겠어요?
   나: 다른 팀은 벌써 도착했다고 조금 서두르래요.
3) 가: 뭐라고 써 있어요?
   나: 흔들다리를 건널 때 무서우면 이 줄을 잡으래요.
4) 가: 사람들이 원하는 게 뭐예요?
   나: 한 사람의 목소리만 높이지 말고 모두의 요구를 들어 달래요.
5) 가: 문제의 답을 어떻게 써야 해요?
   나: 여러 단어와 문법을 사용해서 한 문장으로 이으래요.
6) 가: 그 사실을 믿을 수가 없어요.
   나: 많이 놀랐겠지만 이 사실을 받아들이재요.

- 대하다
- 뽑다
- 능력
- 당연하다

4. V-(ㄴ/는)다면서(요)?, N(이)라면서(요)?

: 다른 사람에게서 들은 말을 상대방에게 확인하여 물을 때 사용한다.

1) 가: 그 사람은 낯선 사람도 친구처럼 대한다면서요?
   나: 저도 잘 모르는데 그렇대요.
2) 가: 오늘 반장을 뽑는다면서요?
   나: 저는 아직 못 들었는데 누가 그래요?
3) 가: 잠깐 쉬었다 할까요?
   나: 시간이 부족하다면서요?
4) 가: 어제 많이 아팠다면서요?
   나: 이제 괜찮아요.
5) 가: 자르갈 씨가 그렇게 잘 논다면서요?
   나: 네, 그래서 친구들이 놀 때는 자르갈 씨만 찾아요.
6) 가: 사람 사귀는 것도 능력이라면서요?
   나: 당연하죠.

연습하기

1. 다음과 같이 이야기해 보십시오.

담배를 끊다
친구가 같이 끊자고 하다

가: 담배를 **끊는다면서요?**
나: **네,** 친구가 같이 끊**재요.**

1) 요즘 한국 친구를 사귀다
   한국생활에 도움이 된다고 하다
2) 다이어트를 하다
   여자 친구가 살을 빼라고 하다
3) 그 가게는 항상 사람이 몰려들다
   제 친구도 맛있다고 같이 가자고 하다
4) 그곳은 날씨가 무덥다
   사우나 같다고 하다
5) 이 자리는 장애인 자리이다
   그래서 나른 데 앉으라고 하다

• 몰려들다
• 사우나

듣기 316

- 안색
- 어깨
- 통증
- 척추
- 질환
- 자세
- 경우
- 장시간
- 전문가
- 곧게
- 근육
- 강화
- 등받이
- 기대다

※ 다음을 잘 듣고 물음에 답해 보십시오.

1. 들은 내용과 같은 것을 고르십시오.

① 지성 씨는 요즘 척추 질환이 생겼다.
② 바르지 않은 자세가 척추 질환을 만든다.
③ 로빈 씨는 지하철에서 계속 휴대전화를 본다.
④ 지성 씨는 규칙적으로 운동하는 습관이 있다.

2. 척추 건강을 위한 행동이 아닌 것을 고르십시오.

① 버스에서 휴대전화를 장시간 사용하지 않는다.
② 컴퓨터를 할 때 한 시간에 한 번 몸을 풀어 준다.
③ 의자에 앉을 때 등받이에 기대어 편하게 앉는다.
④ 운동을 해서 척추 주변 근육을 튼튼하게 유지한다.

표현

1. 통 + (부정을 나타내는 말)

1) 아이가 밥을 통 먹지 않아서 걱정이다.
2) 그 사람 말은 무슨 뜻인지 통 모르겠다.

2. 한번 / 한 번

1) 한번 먹어 보세요. / 한 번 먹어 봤어요.
2) 한번 가 보세요. / 한 번만 가 보세요

말하기

소식 전하기

※ 최근에 들은 소식이나 소문에 대해 이야기해 보십시오.

• 연예인

1. 최근에 들은 소식이나 소문에는 어떤 것이 있는지 생각해 보십시오.

한국어능력시험 정보	예) 다음 주부터 신청, 어렵다
다른 반 친구 소식, 소문	
고향 소식	
날씨	
연예인에 관한 소문	
학교 행사	

2. 다음과 같이 이야기해 보십시오.

예

가: 다음 주부터 한국어능력시험 신청을 시작해야 한**다는 소식 들었어요?**

나: 네, 게시판에 공지가 붙어 있어요. 이번 시험은 어렵**대요.** 다른 때보다 더 열심히 준비해야겠어요.

※ 다음을 읽고 물음에 답해 보십시오.

- 생존
- 전쟁터
- 꿈도 못 꾸다
- 무더위
- 따다
- 부담스럽다
- 다가오다
- 앞두다
- 몸매
- 관리
- 호감
- 가꾸다
- 등록금
- 생활비
- 알바족
- 오직
- 하늘 높은 줄 모르다
- 물가
- 사립대
- 정신없다
- 역시
- 대출
- 해결하다
- 예전
- 농촌

대학생에게 여름방학은'생존을 건 전쟁터'

우리나라 대학생은 방학이면 더 피곤하다. 어학과 자격증 공부, 아르바이트까지 해야 한다. 당연히 봉사활동이나 여행은 꿈도 못 꾼다. 장마가 끝나고 무더위가 시작된 8월, 대학생들에게 방학은 없었다.

◇ "방학을 잘 보내야 취업할 수 있다" 졸업 1~2년 전부터 시작되는 '취업 전쟁'

대학 3학년 김은주(22·여) 씨는 매일 오전 8시면 자격증을 따기 위해 집 근처 도서관으로 향한다. 내년에는 졸업반이 된다는 사실이 부담스럽다고 한다. 김 씨는 이번 방학이 곧 다가올 취업의 성공과 실패를 결정하는 중요한 시간이라고 생각한다.

내년 봄 졸업을 앞둔 대학 4학년 조재현(26) 씨는 아침 7시 헬스장에서 하루를 시작한다. 건강도 건강이지만 무엇보다 몸매 관리를 위해서다. 조 씨는 "면접에서 호감이 가는 몸매를 가꾸기 위해서 운동을 한다"고 말했다.

◇ 등록금과 생활비 때문에 고민하는 알바족

김 씨나 조 씨처럼 방학 때 오직 취업 준비에만 집중할 수 있는 경우는 나은 편이다. 하늘 높은 줄 모르고 오르는 등록금과 물가 때문에 생활이 힘들기 때문이다.

서울의 한 사립대에 재학 중인 이수현(26) 씨는 내년 졸업해야 하지만 취업 준비는 못하고 있다. 방학만 되면 생활비를 벌기 위해 정신없이 아르바이트를 한다. 대학 2학년 김수지(21·여) 씨 역시 "등록금은 대출이나 장학금으로 해결하지만 교통비나 식비 등의 생활비는 아르바이트로 마련해야 한다"고 했다.

이제는 예전처럼 여름 방학에 여행을 하거나 농촌에서 봉사활동을 하는 대학생들을 찾기가 힘들어졌다.

1. 이 글을 쓴 기자는 누구와 어떤 인터뷰를 했습니까?

• 신경(을) 쓰다

2. 요즘 대학생들이 여름 방학에 하는 일이 아닌 것은 무엇입니까?

① 취업 준비를 위해서 시간을 아낀다.
② 자격증을 따기 위해 항상 공부를 한다.
③ 면접을 위해서 몸매 관리에 신경을 쓴다.
④ 장학금을 받기 위해 아르바이트를 한다.

3. 이 글의 내용과 같은 것을 고르십시오.

① 요즘은 여름 방학이 없다.
② 몸매 관리도 취업 준비이다.
③ 아르바이트가 취업에 도움을 준다.
④ 최근 농촌 봉사활동이 늘어났다.

표현

1. N도 N(이)지만

1) 대학교에 입학할 때는 성적도 성적이지만 면접도 중요합니다.
2) 일도 일이지만 여가 생활도 하며 살아야 해요.

쓰기

• 사건

※ 학교 신문에 글을 써 보십시오.

1. 관심이 있는 신문기사에 대해 생각해 보십시오.

1) 신문에서 어떤 글을 관심 있게 봅니까?

• 사건 • 사고 • 광고
• 공지 • 문화 / 공연 행사

2) 여러분이 기자라면 어떤 내용을 알리겠습니까?

2. 생각한 내용을 바탕으로 개요를 완성해 보십시오.

처음	• 누가 • 언제 • 어디서
중간	• 무엇을 • 어떻게
끝	• 왜

3. 개요를 바탕으로 글을 써 보십시오.

문화 이해하기

말과 관련된 속담

"발 없는 말이 천 리 간다."라는 속담을 들어본 적이 있습니까? 이 속담은 발 없는 말, 즉 우리가 입으로 하는 말이 우리도 모르는 사이에 쉽게 다른 사람에게 전달될 수 있다는 것을 의미합니다. 따라서 말을 할 때는 항상 조심해야 하며 특히 다른 사람에 대해 말을 할 때는 더욱 신경을 써야 합니다.

말과 소문에 대한 또 다른 속담으로는 "낮말은 새가 듣고 밤말은 쥐가 듣는다."라는 속담이 있습니다. 이것은 우리가 다른 사람에 대해 말을 하거나 비밀 이야기를 할 때, 그리고 사람들에게 소문을 전할 때 주위에서 아무도 듣지 않고 있다고 생각하면서 말하지만 금세 그 소문은 모든 사람이 알게 된다는 것입니다.

또한 "말 한마디에 천 냥 빚도 갚는다."라는 속담이 있습니다. 이것은 말이 돈만큼 중요하다는 뜻으로 말을 잘하면 어떤 어려운 일도 잘 해결할 수 있다는 의미로 쓰입니다.

이런 속담들은 모두 말의 중요성을 알려주는 속담입니다. 우리는 말을 할 때 먼저 신중하게 생각하고 말하는 습관을 길러야 할 것입니다.

- 발 없는 말이 천 리 간다
- 전달되다
- 따라서
- 금세
- 말 한마디에 천 냥 빚도 갚는다
- 중요성
- 신중하다

※ 이야기해 보십시오.

1. 말이 중요한 이유는 무엇입니까?

2. 여러분 나라에 말과 관계있는 속담에는 무엇이 있습니까? 설명해 봅시다.

제5과 초대와 방문

준비하기 1
결혼식 장소 방문하기
AV-느라(고)
V-고(요), N(이)고(요)
AV-도록 하다

준비하기 2
집들이 초대하기
AV-(으)려다(가)
V-거든(요), N(이)거든(요)

듣기
집들이 후기 듣기

말하기
집들이 상황에서 인사하기

읽기
거절하는 내용의 편지 읽기

쓰기
거절하는 내용의 이메일 쓰기

문화 이해하기
장례식장

5 초대와 방문

준비하기1 317

결혼식 장소 방문하기

- 진심
- 신혼여행
- 깨가 쏟아지다
- 피로연

아멜리: 선생님, 결혼 축하드려요.

선생님: 아멜리 왔구나. 요즘 대학원 입학을 준비하느라고 바쁘다는 얘기를 들었는데, 이렇게 얼굴을 보니까 좋구나.

아멜리: 당연히 와야죠. 다른 사람도 아니고 선생님 결혼식이니까요. 한국의 결혼식 모습도 궁금하고요.

메 이: 선생님, 저도 왔어요. 결혼 진심으로 축하드려요.

선생님: 어서 와. 많이 바쁘다고 들었는데 이렇게 와 줘서 고맙다.

메 이: 고맙기는요. 바빠도 와야죠. 그런데 신혼여행은 어디로 가세요?

선생님: 원래는 멀리 가려고 했는데 선생님 아내 될 사람이 너무 바빠서 가까운 제주도로 가려고.

아멜리: 좋으시겠어요. 부러워요. 신혼여행 잘 다녀오시고 깨가 쏟아지게 사세요.

선생님: 그래. 피로연 장소는 한 층 아래에 있으니까 식사 꼭 하도록 해.

표현

1. V-(는)구나, N(이)구나

1) 지금 밖에 눈이 오는구나.
2) 아기가 참 예쁘구나.
3) 네가 벌써 대학생이구나.

1. AV-느라(고)

: 앞 문장이 뒤 문장에 대한 원인이나 이유 또는 목적이 될 때 사용한다.

1) 가: 왜 일을 그만뒀어요?
   나: 한국어 공부를 하느라고 시간이 없어서요.
2) 가: 요즘 학교가 왜 이렇게 시끄러워요?
   나: 새 건물을 짓느라고 공사를 하고 있어요.
3) 가: 공항에 왜 갔어요?
   나: 부모님을 배웅하느라고 공항에 갔어요.
4) 가: 왜 숙제를 안 했어요?
   나: 친구하고 노느라고 숙제를 못 했어요.
5) 가: 왜 수업에 지각을 했어요?
   나: ______________________________.

• 그만두다
• 배웅하다

2. V-고(요), N(이)고(요)

: 상내방이나 사신이 한 말에 내용을 더할 때 사용한다.

1) 가: 파하드 씨는 남자인데도 피아노를 정말 잘 쳐요.
   나: 그러게요. 노래도 잘 하고요.
2) 가: 아멜리 씨가 얼굴이 참 예쁘죠?
   나: 맞아요. 마음도 착하고요.
3) 가: 아침에 무엇을 먹었어요?
   나: 빵을 먹었어요. 우유도 마셨고요.
4) 가: 로빈 씨는 무슨 일을 해요?
   나: 영어 선생님이에요. 낮에는 한국어 교육원 학생이고요.
5) 가: 어떤 가수의 노래를 많이 들어요?
   나: ______________________________.

• 그러게

- 커플
- 잠옷
- 따르다
- 믹서
- 작동되다
- 내
- 흡연

3. AV-도록 하다

: 다른 사람에게 어떤 일을 하게 하거나 시킬 때 사용한다.

1) 가: 친구 결혼식 때 무엇을 선물하면 좋을까요?
   나: 커플 잠옷을 선물하도록 하세요.
2) 가: 시험 기간에는 열심히 공부하도록 하세요.
   나: 선생님 말씀을 따르도록 하겠습니다.
3) 가: 이제 믹서를 사용할 수 있어요?
   나: 네, 파하드가 고장 난 믹서를 작동되도록 해 줬어요.
4) 가: 아픈 몸은 이제 괜찮아요?
   나: 네, 메이 씨가 제 일을 대신 해 주고 저를 쉬도록 했어요.
5) 가: 여기에서 담배를 피워도 되나요?
   나: 안됩니다. 건물 내에서는 흡연을 하지 않도록 하세요.

연습하기

1. 다음과 같이 이야기해 보십시오.

> **전화 소리를 못 들었다**
> **라디오를 듣다 / 설거지도 하고 있었다**
> 가: **무슨 일 때문에** 전화 소리를 못 들었**어요?**
> 나: 라디오를 듣**느라고** 전화 소리를 못 들었**어요.** 설거지도 하고 있었**고요.**

1) 공부를 못 했다
   아파서 자다 / 공부하기도 싫었다
2) 점심을 못 먹었다
   영화를 보다 / 간식도 많이 먹었다
3) 백화점에 갔다
   친구 생일 선물을 사다 / 내 옷도 사고 싶었다
4) 요즘 정신없다
   시험공부를 하다 / 숙제도 많다
5) 피곤하다
   한국어를 공부하다 / 아르바이트도 하고 있다

2. 다음과 같이 이야기해 보십시오.

> **시험을 잘 보다**
> **열심히 공부하다**
> 가: **어떻게 하면** 시험을 잘 볼 **수 있을까요?**
> 나: 열심히 공부하**도록 하세요.**

1) 한국 친구를 사귀다
   동호회에 가입하다
2) 다이어트에 성공하다
   매일 운동을 하다
3) 부지런해지다
   계획을 세워서 실천하다
4) 건강하게 살다
   아침에 일어나자마자 물을 마시다
5) 대학교에 입학하다
   우선 한국어 공부에 최선을 다하다

- 동호회
- 부지런하다
- 실천하다

준비하기2 318

- 바늘
- 실
- 여행지
- 이국적
- 따로
- 사모님

선생님: 너희 둘은 바늘과 실처럼 항상 같이 다니는구나.
아멜리: 어! 선생님, 안녕하세요.
파하드: 신혼여행 잘 다녀오셨어요?
선생님: 그럼. 잘 다녀왔지. 제주도는 다른 여행지와는 다르게 이국적인 느낌이어서 좋았어. 해외로 가려다가 시간이 없어서 제주도를 선택했는데 잘한 것 같아.
아멜리: 정말요? 저도 꼭 가보고 싶어요.
선생님: 그래. 그건 그렇고 이번 주 토요일에 너희 시간 되니? 우리 집에서 집들이를 하려고 하는데…….
파하드: 그럼요, 시간은 당연히 있죠. 몇 시까지 어디로 가면 될까요?
선생님: 자세한 시간하고 장소는 따로 연락할게.
아멜리: 그날은 사모님도 계시는 거죠? 꼭 다시 뵙고 싶어요. 결혼식 때 정말 예쁘셨거든요. 두 분의 만남에서 결혼까지의 이야기도 듣고 싶어요.
파하드: 선생님, 오위노 선배도 같이 갈게요. 선생님 결혼식 때 못 간 걸 많이 아쉬워하면서 집들이는 꼭 가고 싶대서요.
선생님: 그래, 알았다. 토요일에 보자.
아멜리, 파하드: 네, 안녕히 가세요.

발음 319

1. 'ㄴ'은 받침 'ㄹ, ㄾ, ㅀ'의 뒤에서 언제나 [ㄹ]로 바뀐다. 한 단어 안에서도 바뀌고 단어와 단어 사이에서도 바뀐다.

1) 한국 사람들은 설날에 떡국을 먹는다.
2) 강아지가 계속 내 발을 핥는데 너무 간지러워.

2. 받침 'ㄴ'은 대부분의 경우 'ㄹ' 앞에서 [ㄹ]로 바뀐다.

1) 원래는 멀리 가려고 했지.
2) 따로 연락할게.

4. AV-(으)려다(가)

: 계획이나 의지가 있었는데 못하거나 다른 것으로 바뀔 때 사용한다.

• 조절
• 겨우

1) 가: 다이어트를 잘하고 있어요?

나: 음식 조절이 힘들어요. 어젯밤에도 라면을 끓여 먹으려다가 겨우 참았어요.

2) 가: 학교 근처로 이사한다고 들었는데 어떻게 됐어요?

나: 이사를 하려다가 집을 구하기가 어려워서 그냥 살기로 했어요.

3) 가: 지금 뭐 해요?

나: 잠을 자려다가 숙제가 생각나서 다시 일어나서 숙제하고 있어요.

4) 가: 그 영화를 보니까 어땠어요?

나: 재미있어지려다가 말았어요.

5) 가: 고향으로 돌아간다고 들었는데 안 갔어요?

나: ____.

5. V-거든(요), N(이)거든(요)

: 질문에 대한 대답이나 이유를 설명하거나 뒤에 이야기가 계속 이어짐을 나타낸다.

• 웬

1) 가: 갑자기 웬 치마예요?

나: 오늘 소개팅을 하거든요. 괜찮아요?

2) 가: 왜 뉴스를 꼭 봐요?

나: 얻을 수 있는 정보가 많거든요.

3) 가: 요즘 한국 문화에 관심이 많은 것 같네요.

나: 네, 대학교에서 한국 문화를 전공할 거거든요.

4) 가: 저 학생이 너에게 인사를 매우 예의 바르게 하네.

나: 저 학생이 내 고향 후배거든.

5) 가: 제가 우리나라 요리를 만들었거든요. 한번 드셔 보세요.

나: 네, 고마워요. 맛있네요.

연습하기

- 기후
- 민감하다
- 오디션
- 덜렁거리다

1. 다음과 같이 이야기해 보십시오.

요즘 많이 힘들다
부모님이 많이 보고 싶다 / 방학 때 한국에 있다 / 고향에 가다

가: 요즘 많이 힘들**어요?**
나: **네,** 부모님이 많이 보고 싶**거든요. 그래서** 방학 때 한국에 있**으려다가** 고향에 가**기로 했어요.**

1) 한국 음식이 그렇게 맛있다
   한국 음식이 입에 잘 맞다 / 방학 때 고향에 돌아가다 / 그냥 한국에 있다
2) 요즘 정신없이 바쁘다
   대학원 입학 준비 중이다 / 아르바이트를 하다 / 안 하다
3) 한국 생활이 어렵다
   기후가 달라서 자주 아프다 / 한국에서 계속 공부하다 / 포기하다
4) 유행에 민감한 편이다
   연예인이 되고 싶다 / 한국어만 공부하다 / 오디션에도 참가하다
5) 지갑을 또 잃어버렸다
   제가 좀 덜렁거리다 / 다시 사다 / 사지 않기로 하다

듣기 320

집들이 후기 듣기

※ 다음을 잘 듣고 물음에 답해 보십시오.

1. 내용과 맞는 것에 O, 틀린 것에 X 하십시오.

1) 지난 주말에 우리 집에서 집들이를 했다 (　　)
2) 선생님께 필요한 선물을 여쭤보고 결정했다. (　　)
3) 선생님 댁에서 저녁 7시쯤에 집으로 돌아갔다. (　　)
4) 선생님의 결혼하신 모습을 보니 결혼하고 싶어졌다. (　　)

2. 다음 중 선생님 댁에서 한 일이 아닌 것을 고르십시오.

① 음식을 차리는 것을 도와드렸다.
② 사모님께서 만들어 주신 다양한 요리를 먹었다.
③ 집을 구경하고 많은 이야기를 나누었다.
④ 선생님께서 어떻게 연애를 하셨는지 들었다.

• 시절
• 차리다

말하기

- 상다리가 부러지다
- 둘이 먹다 하나(가) 죽어도 모르겠다
- 솜씨
- 훌륭하다

※ 상황에 맞게 이야기해 보십시오.

1. 다음 표현에 대해 누구의 말인지 생각해 봅시다. (㉠: 집주인　㉡: 손님)

- 어서 오세요. (　　)
- 얼른 들어오세요. (　　)
- 먼 길 오시느라고 고생하셨어요. (　　)
- 집이 참 좋네요. (　　)
- 초대해 주셔서 감사합니다. (　　)
- 여기 선물이에요. (　　)
- 선물이 마음에 드실지 모르겠네요. (　　)
- 뭐 이런 걸 다 사 오셨어요? (　　)
- 선물까지 주셔서 감사합니다. (　　)
- 차린 것은 없지만 많이 드세요. (　　)
- 음식이 입에 맞을지 모르겠네요. (　　)
- 뭘 이렇게 많이 차리셨어요? (　　)
- 상다리가 부러질 것 같네요. (　　)
- 잘 먹겠습니다. / 맛있게 먹겠습니다. (　　)
- 둘이 먹다 하나가 죽어도 모르겠어요. (　　)
- 요리 솜씨가 정말 훌륭하시네요. (　　)
- 조심해서 가세요. (　　)
- 다음에 또 오세요. (　　)
- 저희 집에도 놀러 오세요. (　　)
- 오늘 잘 놀다가 갑니다. (　　)
- 안녕히 가세요. (　　)
- 안녕히 계세요. (　　)

2. 다음과 같이 이야기해 봅시다.

1) 식사를 하는 상황
2) 집에 돌아가려는 상황

예

초대 받은 집에 가서 방문 인사를 하는 상황

집주인: 어서 오세요. 먼 길 오느라고 고생하셨지요?
손　님: 초대해 주셔서 감사합니다. 집이 참 좋네요.
집주인: 감사합니다.
손　님: 여기 선물이요. 무엇을 좋아하실지 몰라서 제 마음대로 골랐는데 마음에 드실지 모르겠네요.

읽기

거절하는 내용의 편지 읽기

※ 다음을 읽고 물음에 답해 보십시오.

메일쓰기

➔보내기 | 미리보기 | 임시저장

보내는 사람 **자르갈**

받는 사람 ✚ 주소록

참조 ✚ 주소록

제목

파일첨부 파일첨부하기

선생님께

안녕하세요?

선생님께서 보내 주신 메일 감사하게 잘 받았습니다.

선생님의 결혼식에 참석해서 축하드린 것이 엊그제 같았는데 벌써 아이의 돌잔치를 하신다는 소식을 들으니 참 반가웠습니다. 저는 아직 결혼도 하지 못했는데 선생님께서는 돌잔치까지 하신다고 하니 많이 부럽네요. 저도 학업을 마치면 얼른 결혼해야겠습니다. 그리고 선생님께서 보내 주신 아기의 사진도 잘 받아 보았습니다. 사진 속 아기가 선생님을 많이 닮아서 선생님이 더 보고 싶어졌습니다. 아기도 보고 싶고요.

선생님, 그런데 죄송한 말씀을 드려야 할 것 같습니다. 제가 지금 방학이어서 고향에 와 있습니다. 부모님이 보고 싶고 친구들도 보고 싶어서요. 그리고 대학교에 갈 준비를 하느라고 서류도 준비해야 하거든요. 서류 준비가 생각보다 오래 걸려서 선생님께서 말씀하신 날짜에는 한국으로 돌아갈 수가 없습니다. 꼭 가고 싶지만 어쩔 수 없는 상황이어서요. 대신 한국에 가서 선생님을 꼭 찾아뵙겠습니다. 귀여운 아이에게 줄 선물을 사 가지고 가겠습니다. 항상 건강하시고 행복하시길 바랍니다.

20ㅇㅇ년 ㅇ월 ㅇ일

자르갈 올림

□ 중요메일 □ 보낸메일함 저장 □ 한사람씩 보내기 □ 예약발송

- 엊그제
- 학업
- 마치다
- 어쩌다

1. 자르갈 씨가 선생님께 어떤 내용의 편지를 쓰고 있습니까?

① 초대하는 내용 ② 감사하는 내용

③ 거절하는 내용 ④ 기대하는 내용

2. 자르갈 씨가 돌잔치에 가지 못하는 이유는 무엇인지 써 보십시오.

쓰기

※ 거절하는 내용의 글을 써 보십시오.

• 기존
• 여부

1. 다음 글을 읽고 생각해 보십시오.

받은 메일:
동아리 회원들에게 알립니다. 이번 주 금요일 오후 5시에 새로 가입한 동아리 회원들과 기존 회원들이 함께 모여서 신입 회원 환영회를 하려고 합니다. 참석 여부를 메일로 답해 주시기 바랍니다.

동아리 회장 박지성

1) 모임에 참석을 못하는 상황입니다. 그 이유가 무엇입니까?
2) 어떤 말로 시작하겠습니까?

2. 생각한 내용을 바탕으로 개요를 완성해 보십시오.

보내는 사람		
받는 사람		✚ 주소록
제목		✚ 주소록

3. 개요를 바탕으로 글을 써 보십시오.

문화 이해하기

- 문상
- 빈소
- 영안실
- 부조금
- 따로따로

박지성: 최수지 씨 아버님이 돌아가셨다는데 문상 갈 거예요?

메 이: 당연히 가야지요. 수지 씨가 제 인하친구였거든요. 그런데 빈소가 어디라고 해요?

박지성: 인하대학병원 영안실이래요.

메 이: 그래요? 한국에서는 장례식장에 갈 때 뭐가 필요해요?

박지성: 부조금을 준비하면 돼요. 따로따로 하지 말고 친구들과 모아서 하는 게 어때요?

메 이: 그게 좋을 것 같아요. 그럼 제가 다른 친구들한테 얘기할게요. 그런데 한국 사람들은 문상을 가면 거기에서 밤도 샌다고 하는데 지성 씨도 그렇게 하겠네요.

박지성: 남자들은 그렇게 하기도 하는데 여자들은 그냥 문상만 해요.

메 이: 그럼 저는 갔다가 일찍 와야겠어요. 이따가 수업 끝나고 2시에 만나요.

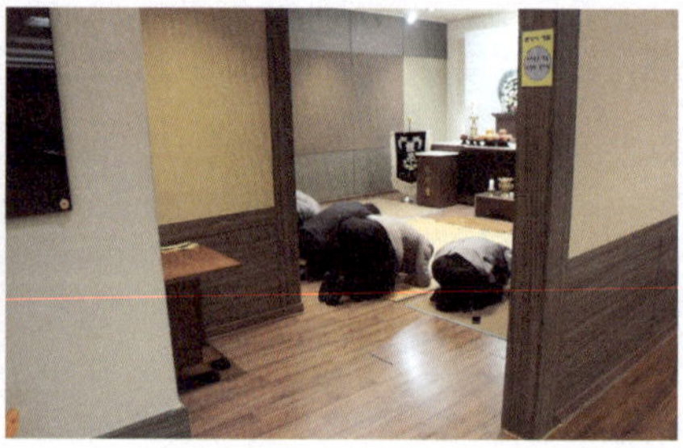

※ 이야기해 보십시오.

1. 한국에서 문상을 가 본 경험이 있습니까? 또는 텔레비전에서 본 경험이 있습니까?

2. 여러분 나라의 장례식과 어떤 차이가 있습니까?

3. 여러분 나라에서는 문상을 어떻게 합니까? 문상을 갈 때 무엇을 가지고 갑니까?

M.E.M.O.

제6과 요리

준비하기 1
불고기에 대해 설명하기
V–아/어/여 가다/오다
V–던 N

준비하기 2
김치 박물관 견학 경험 이야기하기
V–(으)ㄴ/는/(으)ㄹ 줄 알다/모르다, N인/일 줄 알다/모르다
AV–기에는

듣기
조리법에 대해 듣기

말하기
고향 음식 소개하기

읽기
수필 읽기

쓰기
식사 예절 비교하기

문화 이해하기
식사 예절

6 요리

준비하기1 321

불고기에 대해 설명하기

- 꼬르륵
- 맡다
- 군침(이) 돌다
- 익히다
- 달콤하다
- 짭짤하다
- 양념

박지성: 과제가 거의 다 끝나 가니까 그만 하고 밥 먹으러 갈까요?

흐 엉: 네, 그렇지 않아도 배가 고파서 배에서 자꾸 꼬르륵 소리가 나요.

박지성: 하하. 벌써 저녁 시간이 됐으니까 배가 고프지요. 그럼 외국 사람들도 좋아하는 불고기를 먹으러 가는 게 어때요?

흐 엉: 좋아요. 어서 먹으러 가요.

(식당)

흐 엉: 와, 정말 맛있겠네요. 냄새를 맡으니까 군침이 돌아요.

박지성: 그렇죠? 이 식당 불고기가 정말 맛있어서 자주 와서 먹어요.

흐 엉: 저도 지난번에 여기에 와서 불고기를 먹은 적이 있어요. 그때 먹었던 불고기의 맛을 아직도 잊을 수가 없어요. 그런데 왜 이름이 불고기예요?

박지성: 불에 익혀 먹는 고기라고 해서 불고기래요. 물론 매운 맛을 좋아하는 한국 사람들은 맵게 해서 먹을 수도 있어요. 하지만 맵지 않으면서 달콤하고 짭짤하게 요리를 할 수도 있어요.

흐 엉: 아, 불고기는 다양한 맛으로 양념을 해서 먹을 수 있기 때문에 매운 걸 못 먹는 외국 사람들에게도 인기가 많은 거군요. 오늘 제 과제 도와주셨으니까 밥은 제가 살게요. 맛있게 드세요.

1. V-아/어/여 가다/오다

: 동작이나 상태가 계속 진행될 때 사용한다.

1) 가: 보고서 제출이 내일까지인데 다 끝냈어요?
   나: 그렇지 않아도 거의 다 해 가고 있어요.
2) 가: 앞으로 어떻게 살 계획입니까?
   나: 취업을 해서 혼자의 힘으로 살아 갈 겁니다.
3) 가: 그 두 사람은 언제부터 사귀어 왔어요?
   나: 아마 2년 전부터 사귀어 왔을 거예요.
4) 가: 드디어 결정해야 하는 순간이 가까워 온다.
   나: 신중하게 결정해서 후회를 남기지 마.
5) 가: 아버지가 그 회사에서 얼마 동안 일하셨어요?
   나: 30년 동안 ______________________.

- 순간
- 남기다

2. V-던 N

: 명사 앞에서 과거 상황을 다시 생각하거나 그 상황이 끝나지 않은 것을 나타낸다.

1) 가: 오늘은 같이 저녁을 안 먹어요?
   나: 미안해요. 집에 어제 먹던 치킨이 남아 있어서 오늘은 저녁을 그것으로 먹으려고요.
2) 가: 지성아, 하던 숙제는 끝내고 놀아라.
   나: 네, 알겠어요.
3) 가: 이곳은 굉장히 낯이 익은데요.
   나: 학교에 다닐 때 우리가 자주 가던 커피숍이에요.
4) 가: 그 착하던 아이가 왜 그렇게 말을 안 들을까요?
   나: 사춘기인 것 같아요. 이해를 하세요.
5) 가: 남자친구와 처음 만났던 날 생각나요?
   나: 아니요, 너무 오래 돼서 잊어버렸어요.

- 낯
- 익다
- 사춘기
- 이해

연습하기

1. 다음과 같이 이야기해 보십시오.

- 조카
- 몸살감기
- 홍삼
- 회복되다

책을 얼마나 읽다
거의 다 읽다
가: 책을 얼마나 읽**었어요?**
나: 거의 다 읽**어 가요.**

1) 오랜만에 본 조카 얼굴이 어떻다
   점점 엄마를 닮다
2) 몸살감기는 다 낫다
   약을 먹어서 이제 거의 다 낫다
3) 내일이 시험인데 시험공부를 다 하다
   거의 다 끝나다
4) 건강이 좋아지다
   홍삼을 꾸준히 먹으니까 몸이 회복되다
5) 요리 준비는 다 하다
   거의 다 하다

2. 다음과 같이 이야기해 보십시오.

- 자식

언제부터 수영을 배우다
1년 전부터 수영을 배우다
가: 언제부터 수영을 배**웠어요?**
나: 1년 전부터 수영을 배**워 왔어요.**

1) 부모님께서 어떻게 사시다
   자식들 때문에 힘들게 살다
2) 두 사람은 얼마나 사귀다
   5년 동안 사귀다
3) 언제부터 일기를 쓰다
   초등학생 때부터 일기를 쓰다
4) 이 회사에서 언제부터 일하다
   3년 전부터 일하다
5) 유학 생활이 힘들다
   힘들었지만 즐겁게 유학 생활을 하다

3. 다음과 같이 이야기해 보십시오.

무슨 책
잠이 오지 않을 때 읽다
가: **이건** 무슨 책**이에요?**
나: **제가** 잠이 오지 않을 때 읽**던 책이에요.**

1) 무슨 차
고향에서 자주 마시다
2) 어떤 음악
마음이 불안할 때마다 듣다
3) 웬 사진기
고향에서 종종 사용하다

4. 다음과 같이 이야기해 보십시오.

• 강사
• 적도

여기에 있다 / 메이 / 어디에 갔다
저도 방금 와서 잘 모르겠다
가: 여기에 있**었던** 메이 씨**가** 어디에 갔**어요?**
나: 저도 방금 와서 잘 모르겠**어요.**

1) 제가 도서관에서 빌리다 / 책 / 어디에 있는지 알다
아까 로빈 씨가 대신 반납한다며 가지고 갔다
2) 지난주 수요일에 만나다 / 친구 / 무슨 일을 하다
영어 강사이다
3) 지난 수업 시간에 날씨가 항상 덥다고 하다 / 나라 / 어디에 있다
적도 근처에 있다고 하다

준비하기2 322 김치 박물관 견학 경험 이야기하기

- 적히다
- 전시
- 시식
- 코너
- 마당
- 김장
- 담그다
- 조형물
- 요구르트
- 발효
- 유산균
- 장(腸)
- 반찬거리
- 바구니
- 가득

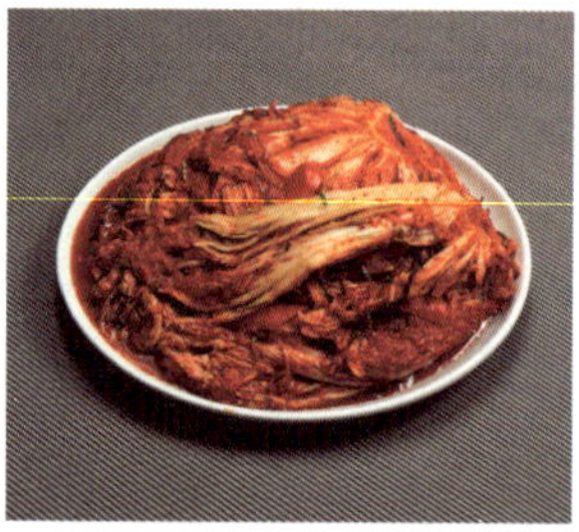  

파하드: 김치 박물관 가 본 적 있어? 주말에 서울에 있는 김치 박물관에 다녀왔는데 볼거리가 정말 많았어.

메 이: 김치 박물관? 그런 박물관도 있어? 뭐가 그렇게 재미있었는데?

파하드: 나는 한국에서 배추김치만 봐서 김치의 종류가 그렇게 다양한 줄 몰랐어. 그런데 계절에 따라서 먹는 김치의 종류가 아주 많아. 배추김치, 총각김치, 물김치, 그리고 오이소박이, 깍두기, 동치미… 이거 말고도 더 있는데 기억이 안 난다.

메 이: 와, 그 많은 김치 이름을 어떻게 다 외웠어?

파하드: 그릇에 여러 종류의 김치들이 담겨 있었어. 그리고 알기 쉽게 그 옆에 이름도 적혀 있었거든.

메 이: 먹어 보기도 했어?

파하드: 김치 전시를 본 다음에 시식 코너로 갔는데 내가 먹기에는 너무 매울 것 같아서 안 먹었어. 옛날 사람들이 집 마당에서 김장을 담그는 모습의 조형물도 있었는데 그걸 보니까 정말 재미있었어.

메 이: 김치가 건강에 좋은 음식일까? 난 맵기만 하고 잘 모르겠는데.

파하드: 김치는 요구르트나 치즈와 같은 발효 음식이래. 유산균이 풍부해서 장 건강에도 좋고 소화가 잘 되도록 도와준대. 나중에 박물관에 같이 한번 가자. 정말 재미있을 거야.

표현

1. N거리 = AV-(으)ㄹ 거리

1) 저녁을 만들어야 하는데 반찬거리가 부족하네.
2) 요즘은 일할 거리가 적어요.

2. N_1이/가 N_2에 담기다 = N_2에 N_1이/가 담기다

1) 과일이 바구니에 가득 담겨 있다.
2) 이 선물에는 아름다운 추억이 담겼다.

발음 323

1. 받침소리 [ㄱ]은 'ㄴ'이나 'ㅁ' 앞에서 [ㅇ]으로 발음된다.

1) 김치 박물관에 가 본 적 있어?

2) 계절에 따라 먹는 김치의 종류가 아주 많아.

3. V-(으)ㄴ/는/(으)ㄹ 줄 알다/모르다, N인/일 줄 알다/모르다

: 일어난 사실이나 상태를 이미 알거나 모르고 있었음을 나타낸다. 또는 알고 있거나 추측한 사실이 잘못된 것임을 인정함을 나타낸다

• 범인

1) 가: 로빈 씨는 한식당에 가면 항상 김치를 먹어요.
   나: 로빈 씨가 김치를 그렇게 잘 먹는 줄 몰랐네요.

2) 가: 아멜리는 정말 똑똑한 것 같아.
   나: 나는 아멜리가 똑똑한 줄 알고 있었어.

3) 가: 흐엉이 내 메시지를 받은 줄 알았는데 전혀 모르고 있었어.
   나: 그래서 어제 답이 없었구나.

4) 가: 자르갈이 토픽 시험에 합격했대.
   나: 나는 자르갈이 토픽 시험에 합격할 줄 알았어. 열심히 공부했잖아.

5) 가: 영화 '특수본' 봤어? 나는 그 경찰이 범인일 줄은 몰랐어.
   나: 나는 친구에게 영화 이야기를 들어서 범인이 누구인 줄 알고 있었어.

6) 가: 저기 지나가는 사람이 연예인 아니에요?
   나: 연예인이었어요? 그냥 평범한 사람인 줄 알았어요.

4. AV-기에는

: 기준이 되게 하는 경우를 나타낸다.

1) 가: 피자 두 판이면 될까요?
   나: 세 명이 먹기에는 좀 많아요.

2) 가: 숙제를 놓고 왔는데 집에 다녀올까요?
   나: 집에 다시 갔다 오기에는 너무 멀어요.

3) 가: 어제 시험공부 많이 했어?
   나: 응. 그런데 혼자 공부하기에는 너무 어려웠어.

4) 가: 주안역까지 걸어서 갈 수 있을까?
   나: 주안역까지 ______________________ 좀 멀 거야.

연습하기

1. 다음과 같이 이야기해 보십시오.

- 고국
- 사물함
- 비다

노민우 선생님이 결혼했다
반지를 끼고 계셔서 결혼하시다
가: 노민우 선생님이 결혼하셨**대요.**
나: 반지를 끼고 계셔서 결혼하신 **줄 알았어요.**

1) 로빈 씨가 고국으로 돌아갔다
   로빈 씨 사물함이 비어 있는 걸 보고 떠나다
2) 파하드 씨가 다 나았다
   운동장에서 축구를 하는 걸 보고 다 낫다
3) 3급이 어렵다
   이미 선배들 이야기를 많이 들어서 3급이 어렵다

2. 다음과 같이 이야기해 보십시오.

- 농담하다
- 사투리

내 말을 안 믿다
농담하다
가: **왜** 내 말을 안 믿**었어요?**
나: 농담하**는 줄 알았어요.**

1) 우산을 안 가지고 나오다
   밖에 비가 안 오다
2) 자르갈에게 돈을 안 빌리다
   자르갈 씨가 돈이 없다
3) 김 선생님 고향이 서울이라고 생각하다
   사투리를 안 쓰셔서 고향이 서울이다

3. 다음과 같이 이야기해 보십시오.

불고기를 먹어 봤다
먹어 보기 전에는 불고기가 그렇게 맛있다

가: 불고기를 먹어 봤**어요?**
나: **네,** 먹어 보기 전에는 불고기가 그렇게 맛있**을 줄 몰랐어요.**

1) 두 사람이 정말로 헤어졌다
   저도 두 사람이 헤어지다
2) 어제 산 옷이 안 맞다
   바지가 이렇게 길다
3) 메이가 아파서 오늘 학교에 안 왔다
   메이가 그렇게 많이 아프다

4. 다음과 같이 이야기해 보십시오.

• 반팔

어디에서 쇼핑을 하다
쇼핑을 하다 / 명동이 좋다

가: 어디에서 쇼핑을 **할까요?**
나: 쇼핑을 하**기에는** 명동이 좋**아요.**

1) 지금 전화해 보다
   지금 전화하다 / 너무 늦은 시간이다
2) 이따 나갈 때 반팔을 입다
   오늘 반팔을 입다 / 날씨가 좀 쌀쌀하다
3) 이 일을 제가 다 하다
   이 일을 혼자서 하다 / 너무 많다
4) 메이 씨에게 부탁을 해 보다
   부탁을 하다 / 어려운 일이다
5) 외국 친구들이 한국 음식을 잘 먹다
   외국인이 먹다 / 한국 음식이 좀 맵다

- 각
- 조
- 육개장
- 고춧가루
- 고추기름
- 얼큰하다
- 간장
- 완성되다
- 단맛
- 조화
- 조리법
- 평가
- 평가자

※ 다음을 잘 듣고 물음에 답해 보십시오.

1. 다음을 듣고 각 음식의 주요 재료를 고르십시오..

음식	재료
육개장	
해물떡볶이	

2. 다음을 듣고 관계있는 것을 연결하십시오.

1) 육개장 •
2) 해물떡볶이 •

• ㉠ 달콤하다
• ㉡ 영양이 풍부하다
• ㉢ 담백하다
• ㉣ 얼큰하다
• ㉤ 맵다

3. 내용이 맞으면 O, 틀리면 X를 쓰십시오.

1) 1조는 맵지 않은 육개장을 만들었다. (　　)
2) 해물떡볶이는 매콤한 맛과 달콤한 맛을 같이 즐길 수 있다. (　　)
3) 2조는 한국음식을 만든 경험이 많다. (　　)
4) 시식은 평가자 한 사람만이 한다. (　　)

말하기

음식 소개하기

※ 음식에 대해 이야기해 보십시오.

1. 어떤 음식을 소개할지 생각해 보십시오.

1) 음식의 이름은 무엇입니까?
2) 주로 언제 먹습니까?
3) 들어가는 재료는 무엇입니까?
4) 맛은 어떻습니까?
5) 어떻게 만드는 요리입니까?
6) 그 음식은 어떤 특징이 있습니까?

- 주로
- 특징

2. 다음과 같이 이야기해 보십시오.

예

제가 소개할 음식은 떡국입니다. 떡국**은 주로** 설날 아침에 **먹는 음식입니다.** 떡과 소고기, 계란 **등의 재료가 들어갑니다.** 고소하고 담백한 맛 때문에 설날이 아니어도 한국인이 즐겨 찾는 음식입니다. 특히 설날에 떡국을 먹는 것은 나이를 한 살 더 먹는**다는 의미가 있습니다.**

읽기

※ 다음을 잘 듣고 물음에 답해 보십시오.

- 출산하다
- 이상
- 철분
- 성분
- 산모
- 혈액
- 효능
- 본인
- 솥
- 떠오르다
- 흔히
- 부정적
- 미끈미끈하다
- 촉감

우리 어머니께서 제일 싫어하시는 음식은 바로 미역국이다. 왜냐하면 자식 네 명을 출산하실 때마다 거의 한 달 이상 매일 미역국만 드셨기 때문이라고 한다. 미역국에는 철분 성분이 풍부하게 들어 있어 출산 후 산모의 부족한 혈액을 만들어 줄 뿐만 아니라 몸의 상처를 빠르게 회복시켜 주는 효능을 가지고 있다고 한다.

그런데 어머니께서는 본인은 싫어하셔도 우리 가족의 생일이 다가올 때마다 냄비에 한 솥 가득 미역국을 끓여 놓으신다. 그래서 생일날 아침에 미역국을 먹을 때면 어머니께서도 나를 낳은 후에 미역국을 드신 것이 생각나서 감사한 마음이 든다. 아마도 한국인에게 미역국은 어머니의 사랑이 떠오르는 고향과 같은 음식이다.

하지만 미역국이 환영을 받지 못하는 날도 있다. 바로 중요한 시험 날 아침이다. 흔히 시험이나 중요한 일에서 "미역국을 먹었다"라고 말하면 시험에서 떨어지거나 일이 잘못되었다는 부정적인 의미이다. 미역의 미끈미끈한 촉감 때문에 미역국을 먹으면 미끄러지기 쉽고 시험에 떨어진다고 생각한 것이다. 그래서인지 어머니께서는 시험 날 아침에 한 번도 미역국을 끓여 주신 적이 없다.

이처럼 나에게 미역국은 나를 사랑해 주시고 걱정해 주시는 어머니의 사랑을 느낄 수 있는 음식이다.

1. 이 글의 제목을 붙여 보십시오.

2. 이 글의 내용과 같은 것을 고르십시오.

① 어머니께서는 매일 미역국을 드신다.
② 미역국은 산모의 피를 맑게 해 준다.
③ 고향에 가면 미역국을 먹을 수 있다.
④ 시험 날에는 미역국을 먹지 않는다.

쓰기

※ 식사 예절에 대해 글을 써 보십시오.

1. 한국과 고향의 식사 예절에 대해 생각해 보십시오.

1) 한국 식사 예절의 특징은 무엇입니까?
2) 고향 식사 예절과 다른 것은 무엇입니까?

2. 생각한 내용을 바탕으로 개요를 완성해 보십시오.

처음	나라마다 고유의 식사 문화가 있다.
중간	• 공통점 – – • 차이점 – –
끝	

3. 개요를 바탕으로 글을 써 보십시오.

문화 이야기

• 예
• 공경하다
• 예절
• 뚜껑
• 수저
• 걸치다
• 이외
• 점
• 부딪치다
• 뼈
• 가시
• 음식물

한국은 예로부터 어른을 공경하는 문화가 있다. 이는 식사 예절에서도 나타난다. 식사 예절은 식사를 시작하기 전 상에 앉을 때부터 시작된다. 항상 어른이 자리에 앉은 다음에 아랫사람이 앉아야 하며 그릇이나 냄비의 뚜껑도 아랫사람이 열어서 어른이 드실 수 있게 준비해야 한다. 또한 수저를 들 때도 어른이 수저를 든 다음에 아랫사람이 든다. 식사 중에는 어른이 묻는 말에만 대답을 하고 다른 말은 하지 않는 것이 좋다. 그리고 어른보다 먼저 밥을 다 먹었어도 숟가락을 상 위에 놓지 말고 밥그릇이나 국그릇에 걸쳐 놓고 어른이 식사가 끝날 때까지 기다려야 한다.

이외에도 음식을 먹을 때 주의해야 할 점들이 있다. 한국 사람들은 반찬을 먹을 때 보통 젓가락으로 집어 먹는다. 이 때 젓가락과 숟가락을 함께 들지 말아야 한다. 숟가락은 먹던 밥그릇이나 국그릇에 넣어 걸쳐 놓으면 된다. 그리고 마시거나 씹는 소리, 수저나 그릇이 부딪치는 소리가 나지 않게 먹고 고기의 뼈, 생선 가시, 음식물 등은 다른 사람의 눈에 보이지 않게 하는 것이 좋다.

"예의는 음식에서 시작된다."라고 했다. 이 말처럼 식사 예절이 다른 예절보다 우선임을 알고 함께 지키자.

※ 이야기해 보십시오.

1. 여러분 나라에 어떤 식사 예절이 있습니까?

M.E.M.O.

제7과 운동

준비하기 1
체육대회 안내하기
AV–다시피
N(이)든(지), V_1–든(지) V_2–든(지)

준비하기 2
운동 방법 설명하기
AV–(으)ㄴ 채로
V–기만 하다, N(이)기만 하다

듣기
간단한 운동 방법 소개하기

말하기
운동 방법 설명하기

읽기
여름철 운동 주의사항 읽기

쓰기
계절별 운동 주의사항 쓰기

문화 이해하기
한국의 응원 문화

7 운동

준비하기1 325

체육대회 안내하기

- 붙이다
- 쓰이다
- 열리다
- 선착순
- 종목
- 구분
- 기재되다
- 단합하다
- 구호

선생님: 여러분, 게시판에 붙여 놓은 체육대회 공지 봤어요?

메 이: 네, 다음 주 금요일에 한다고 쓰여 있었어요.

자르갈: 저도 봤어요. 이번 주 금요일까지 신청하라고도 적혀 있었어요.

선생님: 맞아요. 여러분들이 게시판에서 봤다시피 다음 주 금요일에 학교 대운동장에서 운동회가 열릴 거예요. 선착순이니까 꼭 하고 싶은 종목이 있으면 서둘러서 신청하세요. 응원을 잘하면 주는 상도 있으니까 응원도 준비하고요.

메 이: 하고 싶은 종목이 여러 개 있는데 모두 다 신청해도 돼요?

선생님: 모든 학생이 참여해야 하니까 한 사람당 두 종목 이하로 신청하는 게 좋겠죠?

자르갈: 남녀 구분 없이 신청해도 되나요?

선생님: 게시판에 보면 남녀를 구분해야 하는 종목은 남자 몇 명, 여자 몇 명 이런 식으로 기재되어 있을 거예요. 그렇지 않은 종목은 누구든지 신청할 수 있어요.

메 이: 단합하자는 의미로 구호를 만들어야겠어요.

선생님: 좋은 생각이에요. 우승은 여러분의 노력에 달려 있으니까 모두들 최선을 다하세요.

표현

1. (의문사)(이)든지

1) 얼마든지 가르쳐 줄 수 있다.
2) 어떻게든지 그 사실을 알고 싶었다.

2. N에 달려있다 = 얼마나 / 어떻게 AV-느냐에 달려있다

1) 성공은 마음먹기에 달려 있다. = 성공은 어떻게 마음먹느냐에 달려 있다.
2) 합격은 노력에 달려 있지요. = 합격은 얼마나 노력하느냐에 달려 있지요.

1. AV-다시피

: 듣는 사람이 알고 있는 사실을 말하거나 실제로 그 동작을 하는 것은 아니지만 그 동작에 가깝게 함을 나타낸다.

- 모자라다
- 굶다
- 해롭다

1) 보시다시피 이 제품은 성능이 매우 뛰어납니다.
2) 미안하지만 알다시피 주말에는 자리가 모자라요.
3) 들으셨다시피 다음 주에는 중간시험이 있습니다.
4) 아시다시피 이분이 이번 대회의 우승자입니다.
5) 가: 벌써 도착했어요?
   나: 늦을 것 같아서 날다시피 뛰어왔어요.
6) 가: 매일 그렇게 굶다시피 하면 건강에 해로워요.
   나: 괜찮아요. 이번에는 꼭 다이어트에 성공할 거예요.

2. N(이)든(지), V_1-든(지) V_2-든(지)

: 대립되는 둘 이상의 경우 어느 것을 선택해도 상관없음을 나타낸다.

- 파인애플
- 아들
- 딸

1) 가: 포도도 있고 파인애플도 있는데 뭐 드실래요?
   나: 포도든 파인애플이든 뭐든지 괜찮아요.
2) 가: 아들을 낳고 싶어요, 딸을 낳고 싶어요?
   나: 아들이든지 딸이든지 상관없어요.
3) 가: 내일 비가 와도 소풍을 가나요?
   나: 비가 오든지 눈이 오든지 소풍은 갑니다.
4) 가: 이건 너무 비싼 것 같지 않아요?
   나: 싸든 비싸든 빨리 사 가지고 갑시다.
5) 가: 로빈이 거짓말을 많이 해서 사람들이 모두 싫어한대.
   나: 그래? 나는 로빈을 모르니까 거짓말을 했든 안했든 관심이 없어.

✓ 의문사 + AV-든(지)

1) 가: 그 가게 주인은 참 성실한 것 같아요.
   나: 그렇죠? 언제 가든지 항상 문이 열려 있어요.
2) 가: 이런 옷도 잘 어울리네요?
   나: 무엇을 입든지 다 잘 어울려요.

연습하기

1. 다음과 같이 이야기해 보십시오.

• 제집
• 드나들다

도서관에 자주 가다
살다

가: 도서관에 자주 가**요?**
나: **네,** 도서관에서 살**다시피 해요.**

1) 아이스크림을 또 먹다
   매일 먹다
2) 그 책을 일곱 번이나 읽었다
   외우다
3) 행사를 준비하는 일이 많이 바쁘다
   밤을 새우다
4) 그 집에 자주 놀러 가다
   제집 드나들다
5) 그 아이가 거짓말을 잘하다
   밥 먹다

2. 다음과 같이 이야기해 보십시오.

• 상관없다

언제 만나다
이번 주 / 다음 주

가: 언제 만날**래요?**
나: 이번 주**든지** 다음 주**든지 상관없어요.**

1) 뭐 타고 가다
   버스 / 지하철
2) 뭐 마시다
   커피 / 주스
3) 어디로 여행을 가다
   중국 / 일본

3. 다음과 같이 이야기해 보십시오.

자르갈 / 열심히 운동하다
무엇을 하다
가: 자르갈**이** 열심히 운동하**네요.**
나: 무엇을 하**든지** 자르갈은 열심히 해**요.**

1) 길 / 막히다
어떻게 가다
2) 로빈 / 친절하다
누구를 만나다
3) 아멜리 / 부지런하다
어디에 있다

4. 다음과 같이 이야기해 보십시오.

이번 행사에 사람이 많이 오다
사람이 많다 / 적다 / 진행되다
가: 이번 행사에 사람이 많이 올**까요?**
나: **잘 모르겠어요. 하지만** 사람이 많**든지 적든지** 진행될 **거예요.**

1) 공연이 재미있다
재미있다 / 재미없다 / 꼭 보다
2) 그 집이 좁지 않다
좁다 / 넓다 / 생활에 문제가 없다
3) 이 책의 내용을 한 번 보고 알다
알다 / 모르다 / 한번 끝까지 읽어 보다

준비하기2 326

운동 방법 설명하기

- 오래
- 매달리다
- 철봉
- 버티다
- 각각
- 총
- 닭싸움
- 쇼
- 공격하다
- 쓰러뜨리다
- 요리조리
- 피하다

아멜리: 축구나 농구는 방법을 알겠는데 이건 무슨 운동이지?

파하드: 오래 매달리기? 아, 이건 다리를 모으고 팔을 쭉 펴고 철봉을 잡은 채로 오래 버티는 운동이야.

아멜리: 그냥 매달려 있기만 해? 이런 운동은 나처럼 운동 신경이 없는 사람도 할 수 있겠다.

파하드: 맞아. 게다가 척추에도 좋다고 하니까 꾸준히 연습해 봐.

아멜리: 이건 또 뭐지? 이어달리기는 달리기를 이어서 한다는 뜻인가?

파하드: 그렇지. 먼저 달린 사람이 다음 사람이 있는 곳에 도착하자마자 다음 사람이 달리기를 시작하는 운동이라서 이어달리기라는 이름이 붙었나 봐.

아멜리: 아, 그렇구나. 모두 몇 명이 이어서 달려야 하는 거야?

파하드: 네 명이 각각 100m씩 총 400m를 달려서 빨리 들어오는 팀이 이기는 거래.

아멜리: 난 못 하겠다. 빨리 달리는 건 정말 힘들거든.

파하드: 그럼 닭싸움은 어때?

아멜리: 그거 재미있겠다. 무슨 쇼 프로그램에서 본 적이 있는데 한 쪽 다리는 손으로 잡고 다른 쪽 다리로만 서서 상대방을 공격하고 쓰러뜨리는 거 맞지?

파하드: 그래, 맞아. 요리조리 피하면서 잘 서 있기만 해도 끝까지 살 수 있어.

표현

1. V기

1) 달리다 – 달리기
2) 크다 – 크기
3) 만들다 – 만들기

2. N씩

1) 조금씩 나누어 드세요.
2) 며칠씩 잠을 자지 않으면 너무 피곤할 거예요.

발음 327

1. 받침 'ㄷ, ㅌ'은 '이, 여' 앞에서 [ㅈ, ㅊ]로 발음된다.

1) 게시판에 붙여 놓은 체육대회 공지 봤어요?
2) 바쁘면 굳이 안 가도 괜찮아요.

• 실제로
• 껍질

3. AV-(으)ㄴ 채로

: 어떤 행위를 한 상태 그대로 있음을 나타낸다.

1) 가: 그 사람은 잘 때 눈을 뜬 채로 잔대요.
   나: 실제로 보면 좀 무섭겠네요.
2) 가: 이 옷을 입은 채로 물에 들어가서 놀아도 되나요?
   나: 예, 가능합니다.
3) 가: 감기에 걸렸나 봐요?
   나: 어제 창문을 열어 놓은 채로 자서 그런가 봐요.
4) 가: 과일을 껍질까지 다 먹는 게 건강에 좋대요.
   나: 맞아요. 사과 같은 과일은 깎지 않은 채로 먹는 게 좋대요.
5) 가: 뭘 그렇게 보고 있어요?
   나: 저 사람이 커피를 든 채로 뛰어 가고 있어서요.

• 지속되다

4. V-기만 하다, N(이)기만 하다

: 한 가지 행동만 하거나 어떤 상태가 지속됨을 나타낸다.

1) 가: 준비하지 않고 그냥 가도 되나요?
   나: 네, 모두 준비되어 있으니까 일찍 오기만 하세요.
2) 가: 이제 이곳 생활에 적응이 됐나요?
   나: 아니요, 아직도 낯설기만 해요.
3) 가: 오늘 본 영화가 어땠어요?
   나: 모두들 재미없다고 했는데 저는 흥미롭기만 했어요.
4) 가: 시험이 다가 오는데 놀기만 해서 불안해요.
   나: 시작이 반이라는 말이 있잖아요. 지금부터 같이 시험공부를 시작해 봅시다.
5) 드라마가 감동은 없고 재미있기만 하면 인기가 지속되기 힘들다.
6) 가: 생일 선물로 어떤 가방을 사 줄까요?
   나: 저는 빨간색이기만 하면 돼요.

연습하기

1. 다음과 같이 이야기해 보십시오.

손을 모으다 / 이야기하고 있다
가: **수지 씨가 지금 뭐 하고 있어요?**
나: 손을 모은 **채로** 이야기하고 있**어요.**

1) 가방을 메다 / 침대에 누워서 자다
2) 눈을 감다 / 노래를 부르다
3) 복도에 앉다 / 공부하다
4) 흙이 묻은 신발을 신다 / 방에 들어가다
5) 컴퓨터를 켜 놓다 / 책상 앞에서 책을 읽다

- 길바닥
- 복도
- 흙

2. 다음과 같이 이야기해 보십시오.

아버지 생신이다 / 선물은 샀다
포장하다
가: 아버지 생신인**데** 선물은 샀**어요?**
나: **네,** 포장하**기만 하면 돼요.**

1) 이 상품은 너무 비싸다 / 살 것이다
품질이 좋다
2) 시간이 늦었다 / 괜찮다
집에 들어가다
3) 마트에서 물건을 안 사다 / 사은품을 주다
방문하다

- 사은품

3. 다음과 같이 이야기해 보십시오.

• 장마철

다른 일이 없다 / 한국말을 배우다

가: **요즘 어때요?**

나: 다른 일이 없**기 때문에** 한국말을 배우**기만 해요.**

1) 장마철이다 / 집에 있다

2) 일이 쏟아지다 / 정신없이 바쁘다

3) 룸메이트와 성격이 안 맞다 / 매일 다투다

듣기 328

간단한 운동 방법 소개하기

※ 다음을 잘 듣고 물음에 답해 보십시오.

1. 두 사람은 무엇에 대해서 이야기하고 있습니까?

① 바른 자세의 중요성
② 의자에서 하는 운동의 효과
③ 겨울철 쉽게 할 수 있는 운동 방법
④ 간단하게 할 수 있는 스트레칭의 장점

2. 여자가 설명한 동작으로 맞는 것을 고르십시오.

①

②

③

④

3. 들은 내용과 같은 것을 고르십시오.

① 몸이 무거울 때는 근육 운동을 해야 한다.
② 모든 동작을 하려면 간단한 운동 도구가 필요하다.
③ 짧은 시간 잠깐의 노력으로 뭉친 근육을 풀 수 있다.
④ 한 동작을 반복해서 하는 것보다 여러 동작을 하는 것이 효과가 있다.

- 웅크리다
- 동작
- 벌리다
- 고개
- 젖히다
- 유지하다
- 게다가
- 효과
- 뭉치다
- 양손
- 깍지
- 상태
- 그대로
- 올리다
- 쫙
- 틈
- 겨울철
- 도구

말하기

운동 방법 설명하기

※ 알고 있는 간편한 운동에 대해 이야기해 보십시오.

- 뻗다
- 당기다
- 굽히다
- 손바닥

1. 소개하고 싶은 운동을 어떻게 소개해야 하는지 생각해 보십시오.

   1) 어디에 좋은 운동입니까?

   2) 그 운동을 하기 위해 무엇이 필요합니까?

2. 아래 사진을 보고 다음 표현들을 사용하여 다음과 같이 이야기해 보십시오.

• 우선	• 동작	• 자세	• 반복하다	• 초
• 번	• 쭉	• 뻗다	• 당기다	• 굽히다
• 누르다	• 양손 / 팔 / 다리	• –(으)ㄴ 채로	• –기만 하다	

예

이 동작은 허리나 등의 근육을 풀 수 있는 **동작이에요.** 의자에 앉아서 할 수 있는 간단한 동작이고요. **우선** 손바닥이 바깥쪽을 향하도록 깍지를 끼고 뒤로 쭉 뻗어 보세요. 이때 척추를 알파벳 C자 모양이 되게 바깥쪽으로 둥글게 만들**기만 하면 돼요.** 이 동작을 15초쯤 3회 반복하면 **효과가 있을 거예요.**

1)

2)

3)

읽기

여름철 운동 주의사항 읽기

※ 다음을 읽고 물음에 답해 보십시오.

여름은 열사병, 탈수, 탈진 등이 발생되기 쉬운 시기이다. 평소에 규칙적으로 운동을 하는 사람이라면 큰 문제가 없다. 하지만 가만히 있어도 땀이 많이 나는 계절이기 때문에 무리해서 운동량을 늘리는 사람에게는 안전사고가 발생할 수 있다. 여름철에 운동을 하면 다른 계절보다 쉽게 지치기 때문에 다음과 같은 사항에 유의해야 한다.

먼저 여름에 운동을 할 때는 갈증을 느끼지 않아도 의도적으로 수분을 보충하는 것이 필요하다. 우리 몸은 탈수가 심해도 이를 잘 느끼지 못할 때가 있기 때문이다. 따라서 여름철에는 운동 전후는 물론 운동 중에도 충분히 수분을 섭취하는 것이 중요하다.

(㉠) 한낮에 하는 운동은 되도록 피하고, 아침이나 저녁에 운동하는 것이 바람직하다. 또 실내에서 할 수 있는 수영이나 근력 운동이 좋다. 햇빛이 강하지 않은 아침, 저녁으로는 조깅이나 걷기 또는 자전거 타기 등의 야외 활동을 하는 것도 좋다.

같은 양의 운동을 해도 여름철에는 다른 계절보다 심장 박동 수와 체온이 많이 올라가 쉽게 피로를 느끼게 된다. 그러므로 유의사항을 지켜 우리의 몸이 무더운 날씨에도 잘 견디도록 해야 한다.

- 열사병
- 탈수
- 탈진
- 발생되다
- 무리하다
- 운동량
- 늘리다
- 안전사고
- 갈증
- 의도적
- 수분
- 보충하다
- 섭취하다
- 한낮
- 근력
- 햇빛
- 조깅
- 심장
- 박동
- 체온
- 견디다

1. 이 글의 제목으로 알맞은 것을 고르십시오.

① 운동의 중요성
② 수분 섭취의 중요성
③ 여름철 운동 시 주의 사항
④ 여름철에 하면 좋은 운동 소개

2. ㉠에 적절한 말을 고르십시오.

① 그래서 ② 그러나 ③ 그러므로 ④ 그리고

3. 이 글의 내용과 다른 것을 고르십시오.

① 여름철 운동 시 일부러 물을 많이 마셔야 한다.
② 여름철에 운동을 하면 땀이 많이 나 쉽게 지친다.
③ 꾸준히 운동을 한 사람에게 사고 발생률이 더 높다.
④ 12시에서 3시 사이에는 운동을 안 하는 것이 더 좋다.

쓰기

※ 주의사항에 대해 글을 써 보십시오.

1. 겨울철 운동 시 주의할 점에 대해 생각해 보십시오.

1) 무엇을 조심해야 합니까?
2) 그 이유는 무엇입니까?

2. 생각한 내용을 바탕으로 개요를 완성해 보십시오.

처음	중심 생각 ______
중간	1. 1) 2) 2. 1) 2)
끝	정리 ______

3. 개요를 바탕으로 글을 써 보십시오.

문화 이해하기

한국의 응원 문화

한국의 운동에 있어서 빼놓을 수 없는 것이 하나 있다면 바로 응원이다. 응원이라는 것은 관객들이 선수들에게 힘을 북돋우고 더 좋은 경기를 보여주길 바라는 마음을 모아 전해 주는 것이다. 대표적인 예로 2002년 한일 월드컵 축구대회를 들 수 있다. 붉은색 티셔츠와 붉은 악마를 상징하는 빨간 뿔 머리띠, 그리고 태극기를 활용한 공연 등으로 세계인들에게 한국의 응원 문화를 널리 알리기도 했다.

봄부터 가을까지 계속되는 야구 경기에서도 한국의 응원 문화를 발견할 수 있다. 각 야구팀들은 저마다의 독특한 응원 문화를 갖고 있다. 게다가 관중은 선수별로 정해져 있는 응원가를 열정적으로 부르며 응원한다. 이러한 모습이 야구 관람에 재미를 더해 준다.

한국의 응원 문화는 응원하는 데에서 끝나지 않는다. 부산의 야구팀은 봉지를 부풀려 머리에 쓰고 응원을 하는데, 경기 관람 후 그 봉지를 활용하여 쓰레기를 담아 가는 모습을 볼 수 있다. 이기든 지든 경기의 승패에 상관없이 선수들을 격려하며 끝까지 아름다운 모습을 유지하는 바람직한 응원 문화이다. 부산을 방문할 때 사직구장에 들러 그들의 열정적인 모습을 체험해 보는 것은 어떨까?

- 빼놓다
- 선수
- 북돋우다
- 바라다
- 예(例)
- 붉은색
- 악마
- 상징하다
- 뿔
- 머리띠
- 태극기
- 활용하다
- 널리
- 저마다
- 응원가
- 봉지
- 승패
- 격려하다
- 바람직하다

※ 이야기해 보십시오.

1. 한국의 응원 모습을 본 적이 있습니까? 어떤 느낌이었는지 이야기해 봅시다.

2. 여러분 나라의 응원 문화와 한국의 응원 문화를 비교해 봅시다.

표현

1. V-(으)ㄴ/는 데

1) 지금 가는 데가 어디입니까?
2) 그 책을 다 읽는 데 시간이 많이 걸렸어요.
3) 머리 아픈 데 먹는 약 좀 주세요.

제8과 일상생활

준비하기 1
집에 대한 정보 찾기
V-(으)ㄴ/는 데다(가), N인 데다(가)
AV-았/었/였더니

준비하기 2
정보 공유하기
V-았/었/였었-, N-(이)었었-
AV-(으)려던 참이다

듣기
우체국 쇼핑 소개하기

말하기
상황에 맞게 말하기

읽기
투고문 읽기

쓰기
투고문 쓰기

문화 이해하기
한국의 민간신앙 '손 없는 날'

8 일상생활

준비하기1 329

집에 대한 정보 찾기

- 간(이) 떨어지다
- 한계
- 살펴보다

메 이: 아멜리 씨!

아멜리: 깜짝이야. 간 떨어질 뻔했어요.

메 이: 뭘 그렇게 열심히 보고 있어요?

아멜리: 아파트로 이사를 할까 해서 광고를 보고 있었어요.

메 이: 왜요? 기숙사가 편하고 좋지 않아요? 특별하게 신경을 쓸 것도 없잖아요.

아멜리: 기숙사가 편하고 좋지만 방 친구 때문에요. 방 친구는 좋은 사람이지만 집에서 청소를 안 하고 너무 더럽게 쓰거든요. 방을 혼자 치우니까 힘든 데다가 참는 것도 한계가 있어서 이사하려고요.

메 이: 고생이 많으시네요. 아멜리 씨는 어떤 집에 살고 싶으세요?

아멜리: 조금 살펴봤더니 인하 아파트가 값도 싸고 학교 근처에 있어서 살기가 좋아 보여요. 프랑스에서도 아파트에 살았으니까 익숙하고요.

메 이: 그래요? 그럼 일단 자료를 모아 두고 또 찾아봐요. 저도 기숙사에서 요리를 할 수가 없으니까 불편해서 이사를 할까 했는데 마음에 드는 집이 있는지 봐야겠어요.

1. V-(으)ㄴ/는 데다가, N인 데다가

: 앞의 상태나 행위에 다른 상태나 행위가 덧붙여져서 정도가 심해짐을 나타낸다.

1) 가: 감기에 걸렸다면서요. 괜찮아요?
   나: 열이 많이 나는 데다가 기침도 많이 해서 힘들어요.
2) 가: 메이 씨는 어떤 사람이에요?
   나: 예쁜 데다가 똑똑해서 반 학생들이 좋아하는 사람이에요.
3) 가: 무슨 일로 지각을 했어요?
   나: 아침에 늦게 일어난 데다가 등교하는 도중에 교통사고가 났거든요.
4) 가: 이사한 집은 어때요?
   나: 겨울에 너무 추운 데다가 온수도 잘 안 나와서 불편해요.
5) 가: 파하드 씨는 노래를 참 잘 부르네요.
   나: 전공이 성악인 데다가 연습도 많이 하거든요.

- 등교하다
- 도중
- 온수
- 성악

2. AV-았/었/였더니

: 과거의 사실이나 상황과 다른 새로운 사실이나 상황이 있음을 나타낸다.
과거의 사실이나 상황이 뒤 문장의 결과를 낳는 원인이나 이유가 됨을 나타낸다.

1) 가: 팀장님을 만났어요?
   나: 아니요, 사무실에 갔더니 팀장님이 안 계신다고 다음에 오래요.
2) 가: 무슨 일 있어요? 얼굴이 안 좋아 보여요.
   나: 너무 배가 고파서 밥을 급하게 먹었더니 체한 것 같아요.
3) 가: 운동하고 오나 봐요.
   나: 네, 오랜만에 운동을 했더니 온몸이 쑤시네요.
4) 가: 메이 씨에게 이번 주말에 영화 보자고 말했어요?
   나: 네, 영화 보자고 했더니 시간이 없대요.
5) 가: 머리를 잘랐군요.
   나: 머리를 자르면 시원하다고 해서 잘랐더니 더 불편한 것 같아요.

- 팀장
- 체하다
- 온몸
- 쑤시다

연습하기

1. 다음과 같이 이야기해 보십시오.

많이 힘들어 보이다
점심을 먹지 않고 일을 하다 / 배가 너무 고프다 / 허리도 아프다
가: 많이 힘들어 보이**네요.**
나: 점심을 먹지 않고 일을 **했더니** 배가 너무 고픈 **데다가** 허리도 아프**서요.**

1) 기분이 좋아 보이다
열심히 공부를 하다 / 선생님께 칭찬을 받다 / 장학금도 받다
2) 아파 보이다
시험기간이어서 밤새 공부하다 / 피곤하다 / 온 몸이 쑤시다
3) 즐거워 보이다
이사를 하다 / 집이 넓어지다 / 학교도 더 가까워지다
4) 도서관에 오래 있다
도서관에 가다 / 읽고 싶은 책이 많다 / 공부하는 데에 집중도 잘 되다
5) 병원에 가나 보다
매운 음식을 먹다 / 배가 아프다 / 설사도 하다

준비하기2 330

정보 공유하기

- 취사
- 주민
- 장
- 생활용품
- 저렴하다

박지성: 메이 씨, 여기에서 만나네요. 이 아파트에 살아요?

메 이: 네, 지난주에 이사했어요. 그 전에는 기숙사에서 살았었는데 6개월이 지나니까 고향 음식이 먹고 싶어서 직접 요리하려고요. 기숙사는 취사가 안 돼서 불편했거든요. 지성 씨도 이 아파트에 살아요?

박지성: 네, 저도 이 아파트에 살아요. 같은 주민으로 만나니까 반갑네요.

메 이: 저도 너무 반갑고 좋아요. 그런데 지금 어디에 가세요?

박지성: 아파트에 장이 서서 구경하려던 참이에요. 일주일에 한 번씩 장이 서는데 재미있어요.

메 이: 우와, 아파트에 장이 서는 줄 몰랐어요. 저는 마트나 백화점에 자주 가거든요.

박지성: 여러 가지 음식들이나 생활용품을 마트보다 저렴하게 살 수 있어서 좋아요. 메이 씨도 같이 갈래요?

메 이: 네, 저도 같이 가서 구경하고 싶어요. 지성 씨를 만나니까 여러 가지 좋은 정보를 알 수 있어서 좋군요. 앞으로도 궁금한 것이 있으면 물어 봐도 되죠?

박지성: 그럼요. 메이 씨는 이곳이 낯서니까 제가 많이 도와 드릴게요.

발음 331

1. 받침 'ㅎ, ㄶ, ㅀ'은 뒤에 모음이 오면 [ㅎ]가 발음되지 않는다.

1) 방 친구는 성격이 좋은 사람이지만 청소를 안 해요.

2) 제가 많이 도와 드릴게요.

• 거래처

3. V-았/었/였었-, N(이)었었-

: 현재와 비교하여 다르거나 이미 끝난 과거의 사건을 나타낼 때 사용한다.

1) 가: 부장님, 출근하시기 전에 거래처에서 전화 왔었어요.
   나: 그래요? 제가 다시 연락해 볼게요.
2) 가: 아침마다 조깅을 한다고 들었어요.
   나: 예전에는 자주 했었는데 요즘에는 매일 수영을 해요. 그래서 조깅은 안 해요.
3) 가: 일은 힘들지 않아요?
   나: 처음에는 많이 힘들었었는데 적응이 되어서 괜찮아요.
4) 가: 파하드 씨! 어렸을 때 정말 귀여웠었네요. 이 때는 몇 살이었어요?
   나: 아마 다섯 살이었을 거예요.
5) 가: 아멜리 씨는 어떤 남자가 이상형이에요?
   나: 옛날에는 잘생긴 남자가 이상형이었었는데 지금은 저에게 잘해 주는 사람이 이상형이에요.

• 청첩장
• 금방

4. AV-(으)려던 참이다

: 계획을 실행하려고 하던 순간을 나타낸다.

1) 가: 자르갈 씨, 밥 먹으러 갈까요?
   나: 그래요. 그렇지 않아도 배가 고파서 밥을 먹으려던 참이에요.
2) 가: 메이, 공부 안 하니?
   나: 지금 하려던 참이에요.
3) 가: 저도 파하드 씨의 결혼식에 가고 싶어요.
   나: 그렇지 않아도 청첩장을 드리려던 참이었어요.
4) 가: 자르갈 씨, 저 좀 도와주세요.
   나: 안 그래도 지금 도우려던 참이었어요.
5) 가: 약속 시간이 다 되었는데 아직도 출발하지 않았어요?
   나: ______________________________ . 금방 갈게요.

연습하기

1. 다음과 같이 이야기해 보십시오.

여자 친구와 헤어졌다
그 사람을 진심으로 사랑하다 / 지금은 공부하는 것이 더 중요하다
가: 여자 친구와 헤어졌**다면서요?**
나: 그 사람을 진심으로 사랑**했었는데** 지금은 공부하는 것이 더 중요**해서요.**

- 은근히
- 식욕
- 충분히

1) 장학금을 못 받아서 속상하다
은근히 기대하다 / 못 받다
2) 결혼하다
혼자 살 수 있을 거라고 생각하다 / 많이 외롭다
3) 운동을 자주 하는 편이다
전에는 잘 모르다 / 최근에는 건강이 중요하다고 생각이 되다
4) 점심을 별로 안 먹었다
점심 전에는 배가 많이 고프다 / 식당에 가니까 식욕이 떨어지다
5) 요즘 많이 피곤하다
전에는 조금만 자도 괜찮아지다 / 요즘에는 충분히 잠을 못 자면 힘들다

2. 다음과 같이 이야기해 보십시오.

배가 고프다
상을 차리다
가: 배가 고프다**면서요?**
나: **네, 그래서 지금** 상을 차리**려던 참이에요.**

- 여쭈다

1) 바지가 작다
늘리다
2) 수업에 늦었다
서둘러 가다
3) 질문이 있다
선생님께 찾아가서 여쭈다
4) 이사를 할 것이다
인터넷으로 알아보다
5) 무릎을 다쳤다
연고를 바르다

듣기 332

- 특산물
- 생산되다
- 산지
- 직송
- 망가지다
- 대체
- 식은 죽 먹기
- 땅 짚고 헤엄치기
- 해결되다

※ 다음을 잘 듣고 물음에 답해 보십시오.

1. 대화 후에 파하드가 할 행동으로 올바르지 않은 것을 고르십시오.

① 우체국에 간다.
② 인터넷으로 선물을 찾는다.
③ 아멜리와 쇼핑을 하러 간다.
④ 스마트폰으로 우체국 쇼핑을 검색한다.

2. 우체국 쇼핑에 대한 설명이 아닌 것을 고르십시오.

① 선물을 고를 수 있다.
② 한국 특산물을 선물할 수 있다.
③ 내가 산 선물을 스스로 포장해야 한다.
④ 물건을 생산한 곳에서 직접 받을 수 있다.

3. '식은 죽 먹기', '땅 짚고 헤엄치기'는 무슨 뜻입니까? 추측해 보십시오.

말하기

상황에 맞게 말하기

※ 여러 가지 상황에 대해 이야기해 보십시오.

1. 아래 내용에 대해 생각해 보십시오.

상황 1	방을 함께 쓰는 친구가 청소를 잘 하지 않아서 항상 내가 혼자 합니다. 그래서 그 친구와 함께 방을 사용하는 것이 힘듭니다. 어떻게 하는 것이 좋을지 다른 사람에게 조언을 구하고 싶습니다.
상황 2	저녁에 집에 있는데 창문을 열었더니 담배 냄새가 납니다. 창문 밖을 보니 어떤 사람이 우리 집 담벼락 앞에서 담배를 피우고 있습니다.
상황 3	윗집에 사는 사람은 매일 밤 12시에 세탁기를 돌립니다. 그래서 물 내려가는 소리 때문에 잠을 잘 수가 없습니다. 윗집에 가서 항의를 하고 싶습니다.
상황 4	공항에 내려왔습니다. 공항에서 택시를 타고 기숙사로 가는데 택시 기사님이 평소에 가던 길과 다른 곳으로 가십니다. 그래서 시간이 더 오래 걸리고 택시비도 더 많이 나올 것 같습니다.
상황 5	가게에서 3,500원 짜리 물건을 사고 50,000원 짜리 지폐를 냈습니다. 그런데 가게 점원이 1,500원만 거슬러 주었습니다. 그런데 이 사실을 한 시간 뒤에 알았습니다.

• 세탁기
• 돌리다
• 항의
• 세탁소
• 맡기다
• 거스르다

2. 상황을 활용하여 옆 친구와 이야기해 보십시오.

읽기

투고문 읽기

※ 다음을 읽고 물음에 답해 보십시오.

- 체감온도
- 서늘하다
- 긴팔
- 정부
- 권장하다
- 쇠귀에 경 읽기
- 공익
- 에너지
- 절약
- 솔선수범
- 적당하다
- 정전
- 사태
- 단
- 거르다
- 청소기
- 질질
- 끌다
- 소음
- 큰소리
- 층간
- 갈등
- 금지
- 고통
- 겪다

지난 수요일 점심시간에 은행에 갔다. 은행 밖은 너무 더워서 체감온도가 40도에 가까웠는데 은행 안은 가을 날씨처럼 서늘해서 긴팔을 입고 싶은 느낌이 들었다. 정부에서 권장하고 있는 여름철 실내 온도는 26도인데 '쇠귀에 경 읽기'라는 생각이 들었다. 공익광고에서는 에너지 절약을 위해 노력하자고 하지만 그것을 지키는 곳은 많지 않은 것 같다. 여름철에는 실내 온도가 너무 낮은 것보다 적당한 온도를 유지할 때 자신의 건강을 지킬 수 있다고 한다. 또 실내 온도를 1도씩만 높이면 나라에서 걱정하는 정전(블랙아웃) 사태를 막을 수 있다.

에너지 절약을 하는 데에 은행이나 백화점 같은 곳에서 먼저 솔선수범해 주었으면 좋겠다.

(박지성, 인천 남구 용현동)

우리 집 위층에 사는 사람은 정말 단 하루도 거르지 않고 운동을 한다. 그것도 아침 일찍 하거나 아니면 저녁 늦게 한다. 운동할 때 나는 소리, 청소기 소리, 가구를 질질 끄는 소리가 정말 시끄러워서 스트레스가 쌓인다. 한번은 너무 심한 소음 때문에 참을 수가 없어서 위층으로 찾아갔다. 그런데 오히려 그 사람은 이렇게 찾아오는 것이 불법이라고 신문에 났다면서 큰소리 치는 것이었다.

최근 층간 소음 때문에 생기는 이웃 간의 갈등이 늘어나고 있다. 그래서 많은 사회적 문제가 발생하고 있기 때문에 항의하는 사람이 위층을 직접 방문하는 것이 금지되었다고 한다. 하지만 고통을 겪으면서 사는 아래층 사람의 어려움도 이해해야 하지 않을까? 방문 항의를 금지하는 것도 좋지만 위층에서 사는 사람들 역시 아래층 사람들을 배려하는 마음이 필요할 것 같다.

(파하드, 인천 서구 백석동)

1. 윗글은 어떤 글인지 고르십시오.

① 광고문　② 설명문　③ 투고문　④ 기행문

- 투고문
- 기행문
- 권고
- 사라지다

2. 첫 번째 글의 내용과 같은 것을 고르십시오.

① 나는 은행에서 일을 한다.
② 은행 안은 여름인데도 추운 느낌이 들었다.
③ 은행 안은 정부의 권고를 잘 지키고 있다.
④ 에너지 절약은 내가 먼저 지켜야 한다고 생각한다.

3. 두 번째 글의 내용과 다른 것을 고르십시오.

① 우리 집 위층은 매일 운동을 한다.
② 우리 집 위층의 층간 소음은 항상 참을 수 없다.
③ 위층이 아랫집을 배려하면 층간 소음은 사라질 것이다.
④ 층간 소음을 이유로 이웃집에 항의하러 가는 것은 불법이다.

쓰기

투고문 쓰기

※ 자신의 의견에 대해 글을 써 보십시오.

- 언론
- 칭찬하다
- 구체적

1. 일상생활에서 생긴 일 중 언론에 알리고 싶은 것에 대해 생각해 보십시오.

- 친절한 직원을 칭찬합니다.
- 사용하는 물건에 문제가 있습니다.
- 불편한 일이 있습니다.
- 기타: ______________________________

1) 언제, 어디에서 있었던 일입니까?
2) 무엇에 대한 일입니까?
3) 무엇을 제안하고 싶습니까?
4) 그 이유는 무엇입니까?

2. 생각한 내용을 바탕으로 개요를 완성해 보십시오.

처음	1) 언제: 2) 어디에서:
중간	어떤 일(구체적인 상황):
끝	제안 사항: 이유:

3 개요를 바탕으로 글을 써 보십시오.

문화 이해하기

한국의 민간 신앙 '손 없는 날'

한국에는 많은 민간 신앙이 있는데 그중 하나가 '손 없는 날'이다. '손'은 여기저기 다니면서 사람들의 활동을 방해하고 사람에게 나쁜 행동을 하는 나쁜 귀신을 뜻한다. '손 없는 날'이란 나쁜 귀신이 없는 날이란 뜻으로, 귀신이 돌아다니지 않아 인간에게 해를 끼치지 않는 좋은 날을 의미한다. 따라서 이런 날은 이사 또는 결혼, 개업을 하는 등 중요한 행사 날짜를 정하는 기준이 되고 있다. 반대로, '손 있는 날'에는 나쁜 귀신들이 이곳저곳으로 옮겨 다니며 인간의 일에 손해를 입히거나 훼방을 한다고 생각한다. 그래서 이런 날에는 중요한 행사를 하거나 다른 장소로 움직이는 것을 자제한다. '손 있는 날'에 집을 수리하거나 이사를 하거나 먼 길을 떠나면 안 좋은 일이 생긴다고 믿었다.

- 평일
- 손
- 방해하다
- 과학적
- 미신
- 민간
- 신앙
- 해
- 끼치다
- 개업
- 기준
- 훼방
- 자제하다
- 수리하다
- 손톱
- 발톱
- 엿

※ 이야기 해 보십시오.

1. 아래의 문장을 읽고 그 이유를 생각해 봅시다.

빨간색으로 이름을 쓰지 않는다.
밤에 손톱이나 발톱을 깎고 아무 곳에나 버리지 않는다.
시험을 보기 전에 시험을 보는 사람에게 엿을 사 준다.

2. 여러분 나라에서만 있는 민간 신앙에 대해서 이야기해 봅시다.

1) 어떤 행동을 하지 않습니까? (예: 다리를 떨지 않아요.)
2) 그 이유는 무엇입니까? (예: 복이 달아난다고 생각해요.)

표현

1. N(이)란 N을/를 뜻한다 = N을/를 의미한다 = N을/를 말한다

1) 학교란 선생님이 계속적으로 학생에게 교육을 하는 기관을 뜻한다.
2) 학생이란 학교에 다니면서 공부하는 사람을 의미한다.
3) 땅 짚고 헤엄치기란 아주 쉽게 할 수 있는 일을 말한다.

제9과 교통

준비하기 1
기차 이용방법 설명하기
V-(으)ㄹ 만하다
V-(으)ㄹ수록, N일수록

준비하기 2
교통 법규 설명하기
(아무리) V-(ㄴ/는)다고 해도, N(이)라고 해도
V-(으)ㄹ 뿐만 아니라, N일 뿐만 아니라

듣기
교통방송 듣기

말하기
대중교통의 장단점 설명하기

읽기
교통사고 통계 읽기

쓰기
교통사고 관련 그래프 분석하기

문화 이해하기
교통안전 표어

9 교통

준비하기1 333

기차 이용방법 설명하기

- 교통편
- 고속버스
- 부담
- 경비
- 넉넉하다
- 열차

자르갈: 수지 씨, 이번 방학 때 친구들하고 부산 여행을 가기로 했는데 교통편을 잘 몰라서요. 좀 도와주세요.

최수지: 부산 여행이요? 저도 부산에 가 본 적이 있어요. 바다를 끼고 있는 도시인데 한 번은 꼭 가볼 만한 곳이에요. 몇 명이 가는데요?

자르갈: 여섯 명이요.

최수지: 여섯 명이면 기차나 고속버스를 타고 가는 게 좋겠네요. KTX를 타면 좀 비싸기는 한데 서울에서 부산까지 3시간 정도면 갈 수 있어요. 멀리 갈수록 좋은 교통편이에요.

자르갈: 요금이 좀 저렴하고 부담이 없는 다른 기차 편은 없을까요? 여행 경비가 그다지 넉넉하지 못하거든요.

최수지: 새마을호와 무궁화호가 있어요. 이 기차는 KTX보다는 싸지만 시간이 좀 더 걸려요. 새마을호는 서울에서 부산까지 4시간 반 정도 걸리고요. 무궁화호는 새마을호보다 더 싼데 5시간이 좀 넘게 걸려요.

자르갈: 그럼 요금이나 시간 등 자세한 정보를 알고 예매를 하려면 어떻게 해야 돼요?

최수지: 인터넷에서 코레일 홈페이지에 들어가면 열차 시간, 요금, 주말여행 상품 등을 알 수 있고 예매도 할 수 있어요.

자르갈: 아, 기차 여행 상품도 알 수 있어요? 당장 코레일 홈페이지부터 들어가 봐야겠네요. 고마워요, 수지 씨.

표현

1. 그다지 V-지 않다/못하다

1) 그 일은 그다지 문제가 되지 않는다.
2) 그 사람은 운전을 그다지 잘 하지 못해요.

1. V-(으)ㄹ 만하다

: 어떤 사람이나 사물이 그러한 행위를 할 가치가 있음을 나타낸다.

1) 가: 방학 때 책을 많이 읽으려고 하는데 어떤 책이 좋을까요?

나: 한국 단편 소설 소나기가 읽을 만해요. 진짜 재미있어서 시간 가는 줄 모를 거예요.

2) 가: 5년 정도 사용한 건데 버릴까요?

나: 아직은 쓸 만한데 왜 버려요? 버릴 거면 저 주세요.

3) 가: 오늘 자르갈이 배가 아파서 학교에 못 나왔어요.

나: 어제 아이스크림을 다섯 개나 먹었으니 배가 아플 만하죠.

4) 가: 버스를 탈까요, 걸어서 갈까요?

나: 걸을 만한 거리니까 걸어서 갑시다.

5) 가: 저는 한국 드라마를 보는 게 너무 어려워요.

나: ______________________. 우리는 아직 3급이잖아요.

• 단편

2. V-(으)ㄹ수록, N일수록

: 앞 문상의 상황이나 정도가 더 심해질 때 뒤 문장의 결과나 상황도 비슷하게 더하거나 덜하게 됨을 나타낸다.

1) 가: 아직도 그 일이 화가 나요?

나: 네, 생각할수록 화가 나서 못 참겠어요.

2) 가: 부모님께 용돈을 많이 받는데 왜 돈이 없어요?

나: 용돈을 많이 받을수록 지출도 많아지거든요.

3) 가: 그 일은 언제까지 대답해주면 돼요?

나: 답변이 빠르면 빠를수록 좋아요.

4) 가: 이번 시험은 왠지 쉬울 것 같아서 별로 부담이 없어.

나: 시험이 쉬울수록 실수하지 않게 조심해야지.

5) 가: 친한 친구니까 내 행동을 다 이해할 거야.

나: 친한 관계일수록 더 예의를 갖춰야지.

• 용돈
• 지출
• 답변
• 갖추다

연습하기

1. 다음과 같이 이야기해 보십시오.

• 갈비찜
• 예민하다

로빈 씨가 왜 그렇게 화를 내다
가까운 친구가 거짓말을 했으니 화를 내다
가: 로빈 씨가 왜 그렇게 화를 **낼까요?**
나: 가까운 친구가 거짓말을 했으니 화를 **낼 만해요.**

1) 여행을 가려고 하는데 어디가 좋다
   제주도가 가 보다
2) 맵지 않은 음식 중 뭐가 괜찮다
   불고기나 갈비찜이 먹다
3) 스마트폰은 왜 이렇게 비싸다
   손안의 컴퓨터니까 비싸다
4) 그 여학생이 어떻게 그 사실을 알았다
   그 사람과 가깝게 지내는 사이니까 알다
5) 파하드는 요즘 왜 그렇게 예민하다
   여자 친구와 헤어졌으니까 그렇다

2. 다음과 같이 이야기해 보십시오.

• 흰머리
• 주위

소개팅으로 만난 그 사람은 어떻다
계속 만나다 / 좋아지다
가: 소개팅으로 만난 그 사람은 어때**요?**
나: 계속 만**날수록** 좋아져**요.**

1) 한국어 공부하기가 어떻다
   공부를 하면 하다 / 재미있다
2) 흰머리가 많이 생겼는데 왜 그렇다
   나이가 들다 / 흰머리가 많아지다
3) 돈이 많으면 행복해질 수 있다
   돈이 많으면 많다 / 걱정도 많아지다
4) 친구들을 많이 사귀고 싶은데 어떻게 해야 하다
   친절하게 말을 잘 듣고 도와주다 / 주위에 친구가 늘어날 것이다
5) 힘든데 또 걸어가다
   많이 걷다 / 건강해지다

준비하기2 334

교통 법규 설명하기

로 빈: 벌써 많이 늦었네. 메이가 계속 기다리고 있는데……. 차가 안 오니까 그냥 건너가야겠다.

(잠시 후)

경찰관: 잠시 실례하겠습니다. 방금 여기에서 무단 횡단하셨죠? 신분증 좀 보여 주십시오. 외국인등록증이나 여권 있으십니까?

로 빈: 제가 뭐 잘못했어요? 저는 그냥 길에 차가 없어서 길을 건넜을 뿐이에요.

경찰관: 외국인이시라서 한국의 교통법에 대해 잘 모르셨군요. 도로에 자동차가 없다고 해도 보행자 신호등이 빨간색이면 길을 건너가시면 안 됩니다. 도로교통법에 따라 3만원의 범칙금이 부과됩니다.

로 빈: 3만원이요? 우리나라에서는 신호등에 상관없이 사람이 길을 건너면 무조건 차가 멈추거든요. 아까는 차가 없어서 그냥 건너도 된다고 생각했어요. 제가 한국의 법을 잘 몰라서 실수한 건데 한 번만 봐주시면 안 될까요?

경찰관: 안전하고 편리한 교통 생활을 위해서는 운전자뿐만 아니라 보행자도 항상 조심해야 합니다. 다음부터는 절대로 무단 횡단을 하시면 안 됩니다.

(잠시 후)

로 빈: 많이 기다렸지? 미안해. 오다가 일이 좀 있었어.

메 이: 왜? 무슨 일이 있었는데?

로 빈: 약속 시간이 좀 늦어서 신호등이 빨간불인데 그냥 건넜거든. 하필 그때 경찰이 나를 보고 무단 횡단했다고 신분증을 보여 달라잖아. 벌금을 낼 뻔했어.

메 이: 그랬구나. 나도 사실 빨간불일 때 길을 건넌 적이 여러 번 있었는데……. 네 이야기를 들으니까 좀 조심해야 되겠다는 생각이 든다.

- 무단
- 보행자
- 신호등
- 도로교통법
- 범칙금
- 부과되다
- 무조건
- 하필

발음 335

1. 'ㄹ'받침 뒤에 '이, 야, 여, 요, 유, 얘, 예'가 올 때 그 사이에 [ㄴ]을 넣어 발음한다. 그리고 이 [ㄴ]는 다시 [ㄹ]로 바뀐다.

1) 코레일 홈페이지에 들어가면 주말여행 상품을 확인할 수 있어요.

2) 별일 없으면 저 좀 도와주세요.

3. (아무리) V-(ㄴ/는)다고 해도, N(이)라고 해도

: 앞 문장의 내용이 뒤 문장의 결과에 영향을 주지 않을 때 사용한다.

1) 가: 저는 커피를 좋아해서 하루에 다섯 잔을 마셔요.

나: 아무리 커피를 좋아한다고 해도 하루에 다섯 잔은 너무 많은 것 같아요.

2) 가: 일이 많아서 아직 밥을 못 먹었어요.

나: 일이 바쁘다고 해도 식사는 꼭 해야 돼요.

3) 가: 어제 많이 기다렸어요? 아파서 못 나갔어요.

나: 몸이 아팠다고 해도 연락은 해야지요.

4) 가: 다이어트를 위해서 앞으로 밥을 먹지 않겠어요.

나: 다이어트를 할 거라고 해도 밥은 굶지 마세요.

5) 가: 주말에 손님들이 와서 한국 음식을 준비해 보려고요.

나: 인터넷을 보고 한국 음식을 만든다고 해도 아마 쉽지는 않을 거예요.

6) 가: 그 사람은 돈이 많아서 좋아요.

나: 돈이 많은 사람이라고 해도 성격이 안 좋으면 결혼할 수 없어요.

- 빛
- 야근
- 동네
- 적극적

4. V-(으)ㄹ 뿐만 아니라, N일 뿐만 아니라

: 앞의 상황에 더해 뒤의 상황까지 작용함을 나타낸다.

1) 가: 지금 밖에 비가 와요?

나: 비가 올 뿐만 아니라 바람까지 불고 있어요.

2) 가: 새로 이사 갈 집은 어때요?

나: 방이 넓을 뿐만 아니라 창문으로 빛도 잘 들어와서 살기 좋을 것 같아요.

3) 가: 왜 회사를 그만뒀어요?

나: 월급이 적었을 뿐만 아니라 매일 야근까지 해야 돼서 그만뒀어요.

4) 가: 그 동네를 잘 알아요?

나: 그럼요. 잘 알 뿐만 아니라 전에 거기서 산 적도 있어요.

5) 가: 흐엉 씨는 정말 긍정적인 것 같아요.

나: 흐엉 씨는 긍정적일 뿐만 아니라 적극적이기도 해요.

✓ N뿐만 아니라

가: 오늘 메이가 학교에 안 왔어.

나: 메이뿐만 아니라 아멜리도 학교에 안 왔어.

연습하기

1. 다음과 같이 이야기해 보십시오.

회사가 멀어서 자꾸 지각하게 되다
회사가 멀다 / 지각하면 안 되다
가: 회사가 멀어서 자꾸 지각하게 **돼요.**
나: **아무리** 회사가 멀**다고 해도** 지각하면 안 **돼요.**

1) 그 사람은 믿을 만한 사람이다
그 사람을 믿다 / 그렇게 큰돈은 빌려주는 게 아니다
2) 사람들이 오해를 해서 너무 속상하다
사람들이 오해하다 / 시간이 지나면 진실을 알게 될 것이다
3) 그 사람은 업무 능력이 뛰어나서 부럽다
업무 능력이 뛰어나다 / 동료들과 협력할 줄 모르면 사회생활을 하기가 힘들다
4) 사전을 잃어버려서 숙제를 못했다
사전을 잃어버렸다 / 다른 방법으로 숙제를 할 수 있었을 것이다
5) 남자가 돼서 왜 우는지 모르겠다
남자이다 / 그런 상황에서는 울고 싶을 것이다

- 진실
- 협력하다

2. 다음과 같이 이야기해 보십시오.

파하드 씨는 독서를 좋아하다
네, 책을 많이 읽다 / 신문도 자주 읽는다고 하다
가: 파하드 씨가 독서를 좋아**해요?**
나: 네, 책을 많이 읽**을 뿐만 아니라** 신문도 자주 읽는다고 **해요.**

1) 요즘 여자 친구를 자주 못 만나다
네, 자주 못 보다 / 연락도 잘 못하고 있다
2) 이것을 왜 샀다
값이 싸다 / 품질이 좋아서 샀다
3) 왜 시골에서 살고 싶다
공기가 맑다 / 경치도 좋아서 시골에서 살고 싶다
4) 눈이 많이 와서 등산을 못 했다
네, 눈이 많이 왔다 / 바람도 심하게 불었다
5) 로빈 씨가 인기가 많다
네, 반 친구들을 잘 돕다 / 공부도 열심히 해서 인기가 많다

- 시골

- 형제
- 피해자
- 오히려
- 훔치다

3. 다음과 같이 이야기해 보십시오.

그 분은 무슨 일을 하시다
교수님이다 / 소설가이기도 하다
가: 그 분은 무슨 일을 하세**요?**
나: 교수님**일 뿐만 아니라** 소설가이기도 해**요.**

1) 스마트폰이 왜 좋다
스마트폰은 휴대폰이다 / 손안의 컴퓨터이기도 하다
2) 그 사람은 어떤 친구이다
제일 친한 친구이다 / 형제와도 같다
3) 그 사람이 피해자가 아니다
그 사람은 피해자가 아니다 / 오히려 돈을 훔친 범인이다

- 적성

4. 다음과 같이 이야기해 보십시오.

오위노 씨는 수영을 잘하다
수영 / 농구도 잘하다
가: 오위노 씨는 수영을 잘해**요?**
나: 수영**뿐만 아니라** 농구도 잘해**요.**

1) 직업을 선택할 때 무엇이 중요하다
월급 / 적성도 중요하다
2) 남자 친구가 생일 선물을 안 했다
선물 / 축하한다는 말도 없었다
3) 그 소식을 듣고 가족들이 많이 좋아했다
가족 / 이웃 사람들까지 축하해 주었다

듣기 336

교통 방송 듣기

※ 다음을 잘 듣고 물음에 답해 보십시오.

1. 다음은 어느 고속도로에 대한 설명인지 쓰십시오.

1) 몇 시간 전까지 꼬리를 물고 있던 차량들이 서서히 서울 방향으로 움직이고 있다.

( )

2) 아직 차가 밀리는 곳이 있지만 차량이 빠지는 속도가 조금씩 증가하고 있나.

( )

3) 차량 숫자는 많지만 속도가 매우 빨라졌다.

( )

2. 들은 내용과 다른 것을 고르십시오.

① 지금 출발하면 대전에서 서울까지 2시간 반쯤 걸린다.
② 추석 연휴 나흘째인 오늘 전국 고속도로는 계속 밀리고 있다.
③ 한국도로공사는 고속도로 상황이 예상보다 일찍 좋아질 것으로 보았나.
④ 오늘 고속도로를 통해 수도권으로 들어오는 차량은 43만 대로 예상된다.

- 연휴
- 고속도로
- 차량
- 전망되다
- 취재기자
- 갇히다
- 넘어가다
- 수도권
- 경부고속도로
- 증가하다
- 서해안고속도로
- 꼬리(를) 물다
- 영동고속도로
- 숫자
- 예상되다
- 목적지
- 떠나다

표현

1. N을/를 통하다

1) 나는 유학생활을 통해서 한국어뿐만 아니라 한국 문화도 배우고 싶다.
2) 미술 치료는 미술 활동을 통하여 마음의 문제를 고치는 치료 방법이다.

말하기

대중교통의 장단점 설명하기

• 설치되다
• 전광판

※ 한국의 대중교통에 대해 이야기해 보십시오.

1. 대중교통의 편리함과 불편함에 대해 생각해 보십시오.

1) 대중교통은 어떤 점이 편리합니까?

2) 대중교통은 어떤 점이 불편합니까?

2. 다음과 같이 이야기해 보십시오.

예

가: **한국의** 버스(지하철, 택시)를 **이용해 보니까 어때요?**

나: 한국의 버스는 정류장에 설치되어 있는 전광판으로 버스 도착 시간을 알 수 있어서 **편리하기는 하지만** 출퇴근 시간에 너무 복잡해서 이용하기가 **불편해요.**

읽기

교통사고 통계 읽기

※ 다음을 읽고 물음에 답해 보십시오.

인천시 교통안전에 주의를 뜻하는 황색등이 켜졌다. 도로교통공단이 지난 한 해 동안의 지역별 교통사고 통계를 발표했다. 이 통계에 따르면 지난해 교통사고로 인한 사망자는 총 5,300여명에 이른다. 이 중 인천시의 교통사고 사망자는 265명으로 전국 사망자의 5.03%를 차지하고 있다. 이것은 전년과 비교해 1.5% 감소한 것이지만 여전히 높은 숫자이다.

반면에 사고 발생 건수는 전년과 비교해 2%가 증가했다. 또한 인천시의 자동차 1만 대 당 사망자는 3.4명으로 전국 평균 2.4명보다 1.4배 많은 것으로 나타났다. 인구 10만 명 당 사망자 통계에서도 인천시는 18.3명으로 부산에 이어 전국 6위이다.

교통사고의 원인으로 중앙선을 넘거나 안전거리를 지키지 않거나 신호를 위반하는 것 등이 있었는데 그중 중앙선을 넘는 행동으로 인한 사망자가 가장 많은 것으로 조사됐다. 그러나 교통사고의 주요 원인인 음주운전, 보행자 사고는 오히려 감소하고 있다.

인천시의 교통관계자는 "교통안전 시설을 늘리는 것이 무엇보다 중요하다"고 말했다. 그러나 교통사고 예방을 위해서는 시설을 늘리고 캠페인을 하는 것도 중요하지만, 무엇보다도 시민들이 스스로 알고 행동해야 한다. 예를 들면 보는 사람이 없다고 해도 불법 유턴은 하지 말고 운전 시 항상 앞차와의 안전거리를 유지하며 노란불에 정지선을 통과하거나 파란불이 들어오기 전에 미리 출발하는 행동은 하지 말아야 한다.

- 황색
- 통계
- 사망자
- 차지하다
- 전년
- 감소하다
- 여전히
- 건수
- 당
- 중앙선
- 안전거리
- 위반하다
- 음주운전
- 예방
- 캠페인
- 유턴
- 정지선
- 통과하다

1. 이 글의 제목으로 가장 알맞은 것을 고르십시오.

① 음주운전 단속, 점점 강화해야
② 교통사고예방, 시설 확충만이 방법
③ 인천시 교통사고 전국에서 가장 위험
④ 인천시 교통안전에 주의, 자발적 실천이 필요

- 확충
- 자발적
- 실천

2. 이 글의 내용과 같은 것을 고르십시오.

① 인천시는 지난해보다 사고가 적게 발생했다.
② 인천시의 교통사고 사망자는 지난해보다 많다.
③ 인천시의 인구 10만 명당 사망자 수는 부산보다 높다.
④ 인천시의 자동차 1만대 당 사망자는 전국 평균보다 높다.

• 부상
• 졸음운전
• 미착용
• 경찰청

※ 교통사고 현황에 대해 글을 써 봅시다.

1. 아래의 표를 보고 그래프 내용에 대해 생각해 봅시다.

〈교통사고 발생 건수 및 사상자 수〉

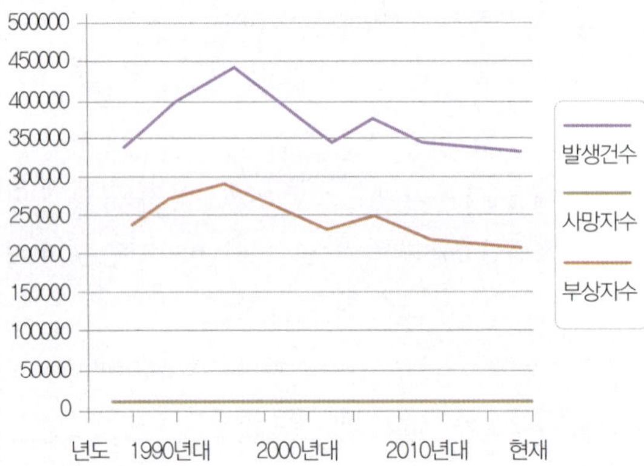

〈교통사고 발생 원인〉

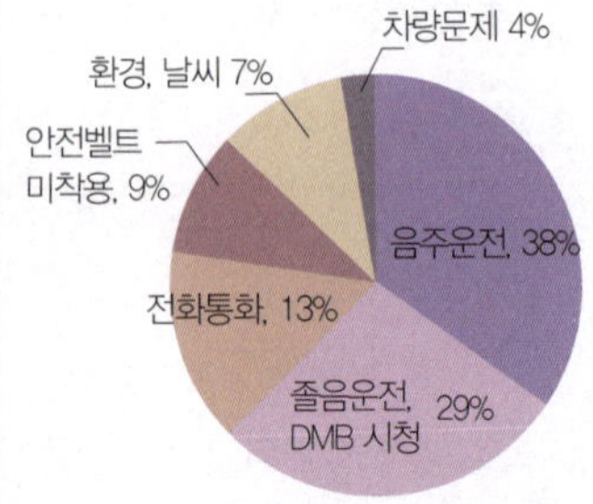

(조사 기관: 경찰청)

1) 어디에서 조사한 결과입니까?

2) 교통사고 현황은 어떻습니까?

3) 교통사고의 발생 원인으로는 어떤 것이 있습니까?

2. 생각한 내용을 바탕으로 개요를 완성해 보십시오.

처음	
중간	1. 교통사고 발생 건수 및 사상자 수 • • 2. 교통사고 발생 원인 • •
끝	따라서 교통사고를 줄이기 위한 노력이 필요할 것이다.

3. 개요를 바탕으로 글을 써 보십시오.

문화 이해하기

교통안전 표어

마실 땐 좋은 친구 취하면 사고 친구

아빠의 음주운전 엄마의 평생 눈물

술 한 잔은 잠시 만족,
사고 나면 평생 후회

도로교통공단은 음주운전 교통사고로 매년 900여 명이 목숨을 잃고 있는 것으로 발표했다.

경찰청의 교통사고 통계를 보면 교통사고의 원인으로 음주나 과속 등이 가장 많고 그 다음으로 끼어들기나 갑자기 차선을 바꾸는 행동 등 양보를 모르는 운전과 관련이 있다.

교통사고 전문가들은 끼어들기나 갑자기 차선을 바꾸는 행동 등을 하지 않고 양보운전을 한다면 교통사고를 크게 줄일 수 있다고 말한다.

양보하는 넓은 마음
좁은 길도 빨리 간다

주고받는 양보
인사 웃음 가고 안전 온다

남을 위한 양보 운전
나를 위한 안전 운전

무단횡단 지름길 지옥 가는 지름길

내가 넘은 중앙선 내가 버린 생명선

우리 아빠 안전벨트
우리 가족 생명벨트

무단 횡단, 중앙선을 넘거나 안전벨트를 하지 않는 행동 등은 대형 사고를 일으킬 수 있다. 교통안전은 '나 하나쯤이야'라는 생각을 버리고 나뿐만 아니라 우리 모두가 지켜야 하는 약속이라는 것을 잊어서는 안 되겠다.

- 취하다
- 평생
- 만족
- 과속
- 끼어들기
- 차선
- 관련
- 지름길
- 지옥
- 생명선
- 대형
- 표어

※ 이야기해 보십시오.

1. 이 표어들은 무엇을 의미하는지 이야기해 봅시다.

2. 교통안전 문화에 대한 표어를 만들어 봅시다.

예) 대중교통 이용하는 우리 남편 일등 시민

제10과 여행

준비하기 1
여행지 추천하기
N도 V–고 해서/하니까
V–던데, N(이)던데

준비하기 2
숙박 시설 정하기
AV–(으)ㄹ 정도로
V–더라고(요)

듣기
여행 상품에 대해 문의하기

말하기
여행 상품 예약하기

읽기
기행문 읽기

쓰기
기행문 쓰기

문화 이해하기
한국의 여행지

10 여행

준비하기1 337

여행지 추천하기

- 아무래도
- 붉다
- 물들다
- 둘레
- 감상하다
- 산책로

자르갈: 요즘 날씨도 좋고 해서 이번 주말에 가까운 데로 여행을 갈까 해요. 어디가 좋을까요?

최수지: 이런 날씨에는 아무래도 산이 좋지 않을까요? 산도 붉게 물들어 가고 있고요.

자르갈: 맞아요. 집에만 있기는 좀 아까워요. 지도에서 보니까 학교 근처에 문학산이 있던데 그 산은 어때요?

최수지: 문학산이요? 여기에서 차로 10분 거리에 있어요. 높지 않은 산이니까 둘레길을 걸으면서 주변 경치를 감상하는 것도 좋을 것 같아요.

자르갈: 정말 가깝네요. 수업이 끝난 후에 가도 되겠어요. 단풍 구경하기에는 또 어디가 좋아요?

최수지: 인천대공원에 가 봤어요?

자르갈: 아니요, 안 가 봤어요. 어떤 곳이에요?

최수지: 산책로가 잘 되어 있는 데다가 넓은 광장도 있어서 자전거 타기, 배드민턴 치기 등도 할 수 있어요. 가을에 가면 단풍도 물론 볼 수 있고 주변에 맛집도 많아요.

자르갈: 수지 씨 얘기를 들으니까 당장 떠나고 싶은데요?

1. N도 V-고 해서/하니까

앞 문장의 내용이 뒤 문장의 행위를 하는 몇 가지 이유 중 하나임을 나타낸다.

1) 가: 어디 가시나 봐요.
   나: 할인도 하고 해서 백화점에 가요.
2) 가: 체육관에 등록하시려고요?
   나: 살도 찌고 해서 운동 좀 하려고요.
3) 가: 잠을 자기에는 아직 이른 시간인데 벌써 자려고요?
   나: 머리도 아프고 해서 낮잠을 조금 자려고 해요.
4) 가: 제가 해야 할 일이 많이 남아서 오늘 모임에 못 갈 것 같아요.
   나: 괜찮아요. 오늘은 시간도 없고 일도 많고 하니까 다음에 만납시다.
5) 가: 파하드 씨가 너무 늦네요. 그냥 갑시다.
   나: 기차 시간도 남았고 하니까 조금 더 기다려 봐요.
6) 가: 다들 아이스크림을 먹는데 자르갈 씨는 왜 안 먹어요?
   나: 곧 저녁시간이고 하니까 조금 참으려고요.

• 이르다

2. V-던데, N(이)던데

: 제안, 명령을 하거나 묻기에 앞서 그와 관련되거나 대립되는 과거의 상황을 제시할 때 사용한다.

1) 가: 그 사람 착해 보이던데 한번 만나 보세요.
   나: 몇 마디 주고받았는데 성격이 안 맞는 것 같아요.
2) 가: 대부분 그 연예인을 잘 알던데 모르시나 봐요?
   나: 제가 TV를 잘 안 봐서요.
3) 가: 시험이 어렵던데 잘 봤어요?
   나: 생각보다 어렵지 않던데 메이 씨는 어려웠어요?
4) 가: 보통 처음 만나는 사람은 낯설던데 그쪽은 전혀 낯설지 않네요.
   나: 우리가 어디에서 만난 적이 있나요?
5) 가: 그 사람이 외국인이던데 알고 있었어요?
   나: 그래요? 한국말을 하도 유창하게 해서 한국 사람인줄 알았어요.

• 유창하다

연습하기

1. 다음과 같이 이야기해 보십시오.

• 집세

이사할 집을 알아보다
집세 / 오르다

가: 이사할 집을 알아보**려고요?**
나: **네,** 집세**도** 오르**고 해서요.**

1) 고향에 가다
   명절 / 다가오다
2) 놀이공원에 가다
   새로운 놀이기구 / 타 보고 싶다
3) 계곡을 여행하다
   날씨 / 무덥다

2. 다음과 같이 이야기해 보십시오.

다음에 가다
길 / 막히다

가: 다음에 가**는 게 어때요?**
나: **그래요,** 길**도** 막히**고 하니까** 다음에 가**ㅂ시다.**

1) 조금 쉬다
   일 / 마쳤다
2) 자리를 옮기다
   주변 / 시끄럽다
3) 산책을 하다
   몸 / 나른하다

3. 다음과 같이 이야기해 보십시오.

밖에 비가 오다 / 외출하다
급한 일이 있다
가: 밖에 비가 오**던데** 외출**해요?**
나: 급한 일이 있**어서요.**

1) 어제 급하게 가다 / 많이 바빴다
약속 시간에 늦다
2) 조퇴를 하다 / 무슨 일이 있다
몸살이 나다
3) 아까 친구가 교실로 가다 / 왜 지금은 교실에 없다
밖에서 전화 통화를 하고 있다

• 조퇴

4. 다음과 같이 이야기해 보십시오.

형 / 김치 / 잘 먹다 / 동생
매운 음식을 싫어하다
가: 형**은** 김치**를** 잘 먹**던데** 동생**은** 김치**를** 잘 먹**지 않는대요.**
나: **저도 들었어요.** 동생은 매운 음식을 싫어한**대요.**

1) 중국 / 과일 / 싸다 / 한국
과일이 비싸다
2) 오전에 / 눈 / 오다 / 오후에
비가 오다
3) 자르갈 씨 / 활발하다 / 룸메이트
굉장히 차분하다

준비하기2 338

- 하룻밤
- 서적
- 숙박
- 리조트
- 펜션
- 민박
- 만만찮다
- 일거양득

메　이: 경주까지 가는데 하룻밤 자고 오는 게 낫겠죠?

아멜리: 멀기도 하고 볼거리도 많다고 하니까 그렇게 하도록 해요.

메　이: 여행 서적과 인터넷 자료를 봤는데 숙박 시설에 대한 정보가 셀 수 없을 정도로 많아서 어떻게 결정해야 할지 모르겠더라고요.

아멜리: 정말 그러네요. 호텔은 물론이고 리조트, 펜션, 민박까지 종류가 정말 다양해요.

메　이: 기분 좋은 여행을 위해 깨끗하고 좋은 곳에서 자고 싶은데 그런 곳은 또 가격이 만만찮고…….

아멜리: 여기 한옥 체험도 있어요. 가격에 비해 시설도 좋은 데다가 전통문화까지 체험할 수도 있으니까 일거양득이네요.

메　이: 와, 정말 갖출 걸 다 갖추고 있네요. 당장 전화를 걸어서 예약할까요?

아멜리: 인터넷 상에서 예약하기와 문의하기도 되니까 먼저 문의하는 글을 남기는 게 어떨까요? 우리 아직 시간이 좀 있잖아요.

메　이: 좋아요. 우선 글을 쓰고 답변을 기다려 보는 게 좋겠어요.

발음 339

1. 'ㄹ'은 받침 'ㅂ, ㄱ' 뒤에서 [ㄴ]로 발음된다. 'ㅂ, ㄱ'은 [ㅁ, ㅇ]으로 발음된다.

1) 산책로도 잘 되어 있는 데다가 넓은 광장도 있어요.

2) 컵라면 한 개에 얼마예요?

3. AV-(으)ㄹ 정도로

: 앞 내용과 비슷한 양이나 수준을 나타낸다.

1) 가: 밥 먹다가 갑자기 왜 그래요?
   나: 고추를 씹었는데 눈물이 날 정도로 매워서요.
2) 가: 항상 그 노래만 반복해서 듣는군요.
   나: 네, 계속 들어도 질리지 않을 정도로 좋은 곡이에요.
3) 가: 준비한 건 없지만 많이 드세요.
   나: 상다리가 부러질 정도로 요리가 많은데 무슨 말씀이세요.
4) 가: 그 책을 손에서 놓지 않네요.
   나: 눈을 뗄 수 없을 정도로 흥미로운 책이거든요.
5) 가: 어디가 불편해요?
   나: 하루 종일 서 있었더니 허리가 끊어질 정도로 아파요.
6) 가: 이번 봉사활동은 어땠어요?
   나: 모두가 힘들어했을 정도로 일이 많았어요.

- 고추
- 질리다
- 곡
- 떼다
- 허리(가) 끊어지다

4. V-더라고(요)

: 과거 어느 때에 직접 경험하여 새롭게 알게 된 사실에 대해 상대방에게 옮겨 전달할 때 사용한다.

1) 가: 두 사람 사이가 요즘 좀 이상하죠?
   나: 지난번에 보니까 심하게 다투더라고요.
2) 가: 이 집 단골인가 봐요.
   나: 이 가게 물건이 가격이 쌀 뿐만 아니라 품질도 좋더라고요.
3) 가: 어젯밤에 화재에 대한 뉴스 들었어요?
   나: 네, 화재의 규모가 엄청나더라고요.
4) 가: 어제 아멜리 씨가 머리를 잘랐더라고요.
   나: 저도 봤어요. 정말 잘 어울려서 부럽더라고요.
5) 가: 저 둘은 정말 아름다운 한 쌍이네요.
   나: 맞아요. 얘기를 들어보니까 서로 성격도 잘 맞겠더라고요.
6) 가: 학생들이 이번 시험에 합격할 수 있을까요?
   나: 글쎄요. 문제를 보니까 학생들에게 시험이 어려웠겠더라고요.

- 단골
- 화재
- 규모
- 엄청나다
- 쌍

연습하기

1. 다음과 같이 이야기해 보십시오.

- 깨지다
- 대들다
- 터지다
- 빠지다

찜질방에 가다
가만히 있어도 땀이 나다 / 덥다

가: 찜질방에 가 **봤어요?**
나: **네,** 가만히 있어도 땀이 **날 정도로** 덥**더라고요.**

1) 청양 고추를 먹다
입에 불이 나다 / 맵다
2) 이 문제를 풀다
머리가 깨지다 / 어렵다
3) 부모님께 대들다
땅을 치며 울다 / 후회되다
4) 노래방에서 하루 종일 노래하다
너무 오래 불러서 목이 터지다 / 아프다
5) 그 사람을 기다리다
목이 빠지다 / 기다려도 안 오다

듣기 340

여행 상품에 대해 문의하기

※ 다음을 잘 듣고 물음에 답해 보십시오.

1. 들은 내용과 일치하지 않는 것을 고르십시오.

① 렌터카가 있어야 제주도 자유여행이 가능하다.
② 제주도에서는 일반 버스 카드의 사용이 가능하다.
③ 남자가 본 상품은 해설사가 없는 자유여행 상품이다.
④ 사흘간의 제주도 여행을 위해 문의 전화를 하고 있다.

2. 이 대화에 이어질 남자의 행동으로 알맞은 것을 고르십시오.

① 국제운전면허증을 발급받는다.
② 숙소를 예약하려고 호텔에 전화한다.
③ 에어텔을 예약한 후에 버스 시간표를 검색한다.
④ 렌터카를 대여할 수 있는 여행사를 알아본다.

- 렌터카
- 포함
- 본국
- 발급
- 단체
- 시간표
- 해설사
- 대여하다

말하기

※ 여행 상품에 대해 이야기해 보십시오.

- 특급
- 박
- 특이
- 조식
- 일주
- 봉사료
- 별도
- 무박
- 대합실
- 집결
- 양
- 떼
- 목장
- 대나무
- 숲
- 보험
- 실속
- 제공되다

1. 다음 여행 상품을 보고 문의할 내용을 생각해 보십시오.

1) 제주도 여행

상품명: 제주도 항공+숙박 자유 여행 **숙박 정보:** 특급 호텔 **여행 기간:** 2박 3일 **상품 가격:** 856,000원 (2인 상품) **특이 사항:** 조식 포함	**상품명:** 우도와 제주 일주 **숙박 정보:** 3성급 호텔이나 리조트 **여행 기간:** 2박 3일 **상품 가격:** 386,000원 **특이 사항:** 가이드 봉사료 별도	**상품명:** 제주 일주 자유 2 + 단체 2 **숙박 정보:** 관광호텔 급 **여행 기간:** 3박 4일 **상품 가격:** 382,000원 **특이 사항:** 2일 자유여행

2) 기차 여행

상품명: 내장산 단풍 여행 **이동 수단:** KTX **여행 기간:** 무박 1일 **상품 가격:** 64,000원 **방문 지역:** 서울(용산역) 출발–정읍역 도착–내장산 등산–정읍역 출발–서울(용산역) 도착 **출발 장소 및 시간:** 용산역 3층 대합실/6시 40분	**상품명:** 부산 해운대 **이동 수단:** KTX **여행 기간:** 무박 1일 **상품 가격:** 98,000원 **방문 지역:** 용궁사, 해운대, 동백섬, 자갈치시장 **출발 장소 및 시간:** 서울역/ 7시 40분	**상품명:** 경주(당일) **이동 수단:** KTX **여행 기간:** 무박 1일 **상품 가격:** 109,000원 **방문 지역:** 대릉원–안압지–국립 경주박물관–불국사 **출발 장소 및 시간:** 서울역/ 8시 **★ 출발 20분 전 대합실 3층에서 집결**

3) 버스 여행

상품명: 평창+강릉 **이동 수단:** 버스 **여행 기간:** 무박 1일 **상품 가격:** 32,000원 **방문 지역:** 대관령 양떼목장–경포 해변–강릉항 커피로드 **출발 장소 및 시간:** 1호선 시청역 3번 출구/6시 50분	**상품명:** 담양 **이동 수단:** 버스 **여행 기간:** 무박 1일 **상품 가격:** 34,000원 **상품 정보:** 담양의 대나무 숲 관광, 입장료(소쇄원, 죽녹원) 포함 **출발 장소 및 시간:** 1호선 시청역 3번 출구/6시 50분	**상품명:** 영월 사과 따기 체험 **이동 수단:** 버스 **여행 기간:** 무박 1일 **상품 가격:** 29,900원 **상품 정보:** 차량, 사과 따기 체험비, 여행자 보험 포함 **출발 장소 및 시간:** 1호선 시청역 3번 출구/6시 50분 **★ 본 상품은 실속 상품으로 차량 내 간식과 물이 제공되지 않습니다.**

2. 듣기 내용과 같이 이야기해 보십시오.

읽기

기행문 읽기

※ 다음을 읽고 물음에 답해 보십시오.

부산으로 갈까 전주로 갈까 고민하다가 선택한 전주 여행. 영등포에서 기차를 타고 달리는 동안 차창 밖의 싱그러운 풍경 덕분에 일상생활에 <u>찌든</u> 내 마음이 활짝 열렸다. 3시간쯤 달려 도착한 전주역 건물은 한옥 모양을 하고 있었는데 첫 인상부터 전통 한옥마을의 고장다웠다.

눈을 뜨지 못할 정도로 눈부신 해와 함께 버스를 타고 한옥마을 정류장에 도착했다. 버스정류장 또한 사찰의 입구와 같이 목재 문으로 꾸며 놓아 한국적인 도시라는 느낌을 전해 주었다. 먼저 예약해 놓은 한옥 게스트 하우스에 짐을 풀고 한옥마을을 한눈에 볼 수 있는 오목대로 가서 관광 안내소를 찾았다. 운 좋게도 해설 관광 시간이 딱 맞아 문화 해설사와 함께 한옥마을의 골목 곳곳을 구경할 수 있었다. 골목 벽에 그려진 벽화 앞에서 사진도 찍고 한지도 만들어 보았다. 그리고 한지로 신발을 만들어서 기념품으로 가지고 왔다. 관광지에 가면 보통 이미 만들어진 기념품을 사 오는데 내가 직접 만들 수 있다는 것이 새롭고 독특했다. 저녁에는 전주하면 떠오르는 음식인 전주비빔밥을 먹었다. 비빔밥의 종류가 하나라고 생각했는데 다양해서 조금 놀라웠다. 그 맛은 지금 생각해도 군침이 돌 정도로 내가 지금까지 먹어 본 음식 가운데 최고였다.

따스한 햇살과 함께 전주의 이곳저곳을 걸어 다니며 보낸 하루를 되돌아보니 조금 더 자세히 보지 못한 아쉬움도 있다. 하지만 다음에 다시 전주를 가게 되면 이번에 느끼지 못한 것을 보고 느낄 수 있다는 기대감도 동시에 든다.

- 차창
- 싱그럽다
- 풍경
- 찌들다
- 활짝
- 눈부시다
- 사찰
- 목재
- 안내소
- 운
- 해설
- 딱
- 곳곳
- 벽
- 벽화
- 한지
- 기념품
- 놀랍다
- 침
- 따스하다
- 햇살
- 동시

• 비평문
• 매연
• 흘리다

1. 이 글의 종류로 알맞은 것을 고르십시오.

① 일기문 ② 기행문 ③ 설명문 ④ 비평문

2. 밑줄 친 부분과 의미가 같은 표현을 고르십시오.

① 먼지와 땀에 찌든 옷
② 냄비가 기름에 찌들었다.
③ 매연으로 까맣게 찌든 건물
④ 술에 찌든 채 지금까지 살아왔다.

3. 여행을 하며 느낀 글쓴이의 심정이 아닌 것을 고르십시오.

① 놀라움 ② 아쉬움 ③ 부담감 ④ 기대감

4. 글쓴이가 여행 중 한 일을 고르십시오.

① 청량리역에서 기차를 타고 전주역까지 갔다.
② 한옥마을에 도착한 후 바로 관광안내소를 찾아갔다.
③ 한옥마을에 대한 설명을 들으며 이곳저곳을 구경했다.
④ 각양각색의 전주비빔밥을 보고 놀라 침을 흘리며 먹었다.

표현

1. N답다

1) 내 남동생은 정말 남자답다.
2) 하루를 살아도 사람답게 살고 싶습니다.

쓰기

기행문 쓰기

※ 여행 경험에 대해 글을 써보십시오.

1. 기억에 남는 여행에 대해 생각해 보십시오.

   1) 기억에 남는 여행지는 어디입니까?
   2) 어떤 일정에 따라 여행을 했습니까?
   3) 무엇을 했습니까?
   4) 무엇을 느꼈습니까?

2. 생각한 내용을 바탕으로 개요를 완성해 보십시오.

처음	
중간	(간 곳) (한 일)
끝	

3. 개요를 바탕으로 글을 써 보십시오.

문화 이해하기

- 선정하다
- 금
- 귀하다
- 염전
- 천일염
- 염도
- 미네랄
- 무기질
- 고운
- 뿜어내다
- 절경
- 무대
- 조선
- 시대
- 대표
- 정원
- 장관
- 뛰어나다
- 경관
- 혼례식
- 민속놀이
- 거닐다

휴가철이 되면 "어디 갈만한 데 없을까?"하고 다들 고민은 하지만, 막상 갈 만한 곳이 얼른 떠오르지 않는다. 한국에서 생활하며 한국의 맛과 멋을 체험해 볼 수 있는 곳은 어디일까? 다음은 CNN이 선정한 '한국에서 가 봐야 할 아름다운 50곳' 가운데 두 곳을 소개한다.

금보다 귀하고 눈보다 아름답다고 하는 소금. 한국의 아름다운 곳 중에는 이러한 소금을 만드는 염전이 있는 곳이 있다. 신안 증도가 바로 그 곳이다. 신안 증도에는 우리나라에서 제일 큰 염전인 태평염전이 있는데 이곳에서 생산되는 천일염은 다른 천일염에 비해 염도가 낮고 미네랄과 무기질이 풍부한 특징을 갖고 있다. 이곳에 가면 눈보다 깨끗하고 고운 빛을 뿜어내는 아름다운 절경을 볼 수 있다. 저렴한 비용으로 염전 체험도 하고, 소금박물관에서 먹는 소금아이스크림의 맛을 보고 싶다면 이번 주말에는 이곳으로 여행을 떠나 보자.

성춘향과 이몽룡의 사랑 이야기를 그린 『춘향전』에 대해 들어본 적이 있는가? 춘향전의 무대이며 조선시대 대표 정원인 광한루원은 전라북도 남원에 위치하고 있다. 이곳은 광한루와 오작교 그리고 춘향사가 아름다운 나무, 물과 함께 어우러져 장관을 이루는 곳이다. 이곳에 가면 뛰어난 경관뿐만 아니라 판소리, 뮤지컬, 춘향제 등 다양한 행사가 마련되어 있고 전통혼례식이나 민속놀이와 같은 여러 가지 체험행사도 함께 즐길 수 있다. 비가 오든 눈이 오든 사랑하는 사람과 함께 손을 잡고 이곳을 거닐면 더 없이 좋을 것이다.

※ 이야기해 보십시오.

1. 한국의 아름다운 여행지를 소개해 봅시다.

2. 여러분 고향의 아름다운 여행지를 소개해 봅시다.

M.E.M.O.

제11과 대중매체

준비하기 1
개인적인 일에 대해 충고하기
V-더니
AV-도록

준비하기 2
드라마에 대한 의견 주장하기
V-(으)므로, N이므로
V-던데(요), N(이)던데(요)

듣기
훈훈한 소식 듣기

말하기
고향 소식 재구성하기

읽기
수필 읽기

쓰기
라디오에 보낼 사연 쓰기

문화 이해하기
한국 TV 드라마의 매력

11 대중매체

준비하기1 341

개인적인 일에 대해 충고하기

- 신나다
- 까다롭다
- 굴다
- 사양
- 돌다리도 두들겨 보고 건너라
- 이왕이면
- 무작정

메 이: 자르갈! 나 마음에 드는 노트북을 찾았어. 이제 내 노트북을 살 수 있을 것 같아서 신나.

자르갈: 그래? 그렇게 까다롭게 굴더니 드디어 찾았구나. 어떤 건데?

메 이: 자세한 사양은 잘 모르겠는데 좋아하는 가수가 노트북 광고를 하더라고. 그래서 그 제품으로 결정했지.

자르갈 : 너 진심이야? 나는 네가 왜 그 제품을 사려고 하는지 잘 모르겠어. 예전에는 나에게 물건을 고를 때는 신중하게 생각해야 한다며. 돌다리도 두들겨 보고 건너라면서 이것저것 비교해 보고 결정하라고 하지 않았어? 좋아하는 가수 때문에 물건을 선택하는 것은 잘못된 것 같아.

메 이: 그런가? 사실 나는 무엇이 더 좋은지 잘 몰라서 텔레비전 광고를 봐도 다 거기서 거기인 것 같았거든. 그래서 이왕이면 내가 좋아하는 사람이 광고하는 것을 사는 게 좋다고 생각했지.

자르갈: 우리가 그 물건의 전문가는 아니니까 당연히 물건을 고르는 것이 쉽지는 않을 거야. 하지만 인터넷 비교 사이트에 들어가면 좀 더 자세한 설명을 볼 수 있어. 그러니까 무작정 결정하지 말고 더 좋은 것을 살 수 있도록 우리 사이트 한번 검색해 보자. 내가 도와줄게. 어때?

메 이: 알았어. 이런 일에 너에게 도움을 받게 되는구나. 오래 살고 볼 일이야.

자르갈: 뭐라고?

1. V-더니

: 과거에 경험한 사실에 뒤이어 어떤 사실이 있음을 나타낸다.

1) 가: 그렇게 많이 먹더니 배탈이 났네요.
   나: 그러게요. 적당히 먹을 걸 그랬어요.
2) 가: 메이 씨가 병원에 입원했대요.
   나: 매일 밤을 새워 일하더니 결국 쓰러졌나 보네요.
3) 가: 아멜리 씨가 진짜 요리를 잘 하나 봐요.
   나: 정말 잘 하던데요. 요리를 시작하더니 10분 만에 파스타를 만들어 내는 것을 봤어요.
4) 가: 메이 씨랑 자르갈 씨랑 사귀어요? 두 사람이 커피숍에서 나오더니 손을 잡고 가더라고요.
   나: 글쎄요. 잘 모르겠는데요.
5) 가: 이제 가을이 오나 봐요.
   나: 그런 것 같아요. 며칠 전만 해도 덥더니 이제는 쌀쌀해요.
6) 가: 파하드 씨, 이제 한국 음식을 잘 먹네요.
   나: 네, 예전에는 먹기가 어렵더니 이제는 괜찮아졌어요.

• 적당히
• 쓰러지다
• 파스타

2. AV-도록

: 뒤에 나오는 행동이나 상황의 목적이나 결과, 정도, 방식을 나타낸다.

1) 가: 문화수업 때 몇 시에 와야 하는지 기억해요?
   나: 네, 잊어버리지 않도록 수첩에 메모해 놓았어요.
2) 가: 선생님, 지각해서 죄송합니다.
   나: 다음에는 늦지 않도록 일찍 일어나세요.
3) 가: 많이 아프다고 들었는데 벌써 움직여도 돼요?
   나: 네, 병이 낫도록 꾸준히 치료를 받고 있으니까 걱정하지 마세요.
4) 가: 체육대회에서 우리 팀이 제일 잘했다고 들었어요.
   나: 목이 터지도록 응원을 해서 그런 것 같아요.
5) 가: 축하해요. 이번 시험에서 1등을 했다면서요.
   나: 고마워요. 시험기간에 밤새도록 공부를 했더니 좋은 결과가 있어서 저도 기뻐요.

✓ DV-도록

아이들이 먹기 쉽도록 작게 만들었어요.

• 수첩

연습하기

1. 다음과 같이 이야기해 보십시오.

• 위염

신경을 많이 쓰다 / 위염에 걸리다
가: 신경을 많이 쓰**더니** 위염에 걸**렸나 봐요?**
나: **그런 것 같아요. 너무 아파요.**

1) 스키장에서 밤새 놀다 / 독감에 걸리다
2) 며칠 밤을 새우다 / 몸이 안 좋아지다
3) 아이스크림을 많이 먹다 / 배탈이 나다

2. 다음과 같이 이야기해 보십시오.

• 공장
• 터

많이 아프다
조금 전까지는 많이 아프다 / 지금은 괜찮다
가: 많이 아프**다면서요?**
나: 조금 전까지는 많이 아프**더니** 지금은 괜찮**아요.**

1) 아기가 많이 울었다
아까까지는 엄마가 없어서 울다 / 지금은 잠이 들었다
2) 여기가 공장 터였다
전에는 이곳이 공장이다 / 지금은 공원으로 바뀌었다
3) 고향에 가다
네, 할아버지께서 지난주까지 건강하시다 / 갑자기 돌아가셨다

3. 다음과 같이 이야기해 보십시오.

• 방해
• 통제하다

아기가 자고 있다 / 깨다 / 작은 소리로 말하다
조심하다
가: 아기가 자고 있**으니까** 깨**지 않도록** 작은 소리로 말하**세요.**
나: **네,** 깨**지 않도록** 조심할**게요.**

1) 다른 사람들이 공부하는 중이다 / 방해가 되다 / 나가서 이야기하다
주의하다
2) 감기에 걸렸다 / 더 심해지다 / 빨리 병원에 가 보다
당장 가다
3) 행사가 있다 / 무대 위에 사람들이 지나가다 / 주의를 주다
통제하다

4. 다음과 같이 이야기해 보십시오.

어제 자르갈 씨를 만났다
눈이 빠지다 / 기다리다 / 안 왔다
가: 어제 자르갈 씨를 만났**어요?**
나: **아니요,** 눈이 빠지**도록** 기다**렸는데** 안 왔**어요.**

1) 아직도 배가 고프다
배가 터지다 / 먹다 / 더 먹고 싶다
2) 요즘 파하드 씨가 공부를 하다
입이 닳다 / 이야기하다 / 듣지 않다
3) 로빈 씨와 화해했다
손이 발이 되다 / 잘못을 빌다 / 용서를 해 주지 않다

- 입(이) 닳다
- 용서

5. 다음과 같이 이야기해 보십시오.

친구에게 연락이 오다
고향에 돌아간 지 한 달이 넘다 / 전화 한 통 없다
가: 친구에게 연락이 왔**어요?**
나: **아니요,** 고향에 돌아간 지 한 달이 넘**도록** 전화 한 통 없**어요.**

1) 친구가 기숙사에 돌아오다
12시가 다 되다 / 집에 돌아오지 않다
2) 로빈 씨가 회의에 참석하다
회의가 끝나다 / 회의장에 들어오지 않았다
3) 어제 집에 일찍 들어가다
친구와 밤새다 / 도서관에서 공부했다

준비하기2 342

- 출세
- 소소하다
- 두근거리다
- 권유하다

자르갈: 아멜리 씨, 지금 뭐해요?

아멜리: 지금 인터넷으로 한국 드라마를 보고 있어요. 굉장히 재미있어서 눈을 뗄 수가 없네요.

자르갈: 그래요? 전 한국 드라마에 별로 관심이 없어서 아직 본 적이 없어요. 내용이 어떤데요?

아멜리: 인생의 목표가 오직 성공과 출세였던 남자 주인공이 자신의 주변에서 소소한 행복을 찾는 여자 주인공을 만나서 진짜 행복이 무엇인지 알게 되는 내용이에요. 지금 남자 주인공이 여자 주인공에게 사랑한다고 고백하는 장면인데 제 가슴이 두근거려요. 저도 저렇게 고백을 받고 싶어요.

자르갈: 그래요? 드라마에서 남자 주인공이 정말 멋있게 나왔나 보네요. 하지만 드라마에 빠져서 공부를 멀리하면 우리가 한국에서 공부하는 의미가 없다고 생각해요. 차라리 그 시간에 한국 사람들을 만나서 대화하고 그 속에서 한국어를 익히는 것이 더 도움이 될 거예요.

아멜리: 저는 드라마를 보면서도 충분히 공부를 할 수 있다고 생각해요. 드라마에 나오는 표현이 실제로 한국에서 많이 사용되는 표현이잖아요. 드라마를 보면서 그 말들을 배우니까 더 재미있게 한국어를 공부할 수 있던데요. 제가 자르갈 씨가 좋아할 것 같은 드라마를 추천해 줄게요. 한번 보고 다시 이야기해요.

자르갈: 알겠어요. 아멜리 씨가 드라마를 보라고 권유하니까 저도 한번 볼게요.

발음 343

1. 앞 단어에 'ㅁ, ㄴ, ㅇ' 받침이 있고 뒤 단어가 '이, 야, 여, 요, 유, 얘, 예'로 시작할 때 그 사이에 [ㄴ]을 넣어 발음한다.

1) 발음 연습을 많이 하세요.

2) 이런 일에 도움을 받는구나.

2. 앞 단어에 'ㅂ, ㅍ' 받침이 있고 뒤 단어가 '이, 야, 여, 요, 유, 얘, 예'로 시작할 때 그 사이에 [ㄴ]을 넣어 발음한다. 이때 'ㅂ,ㅍ'은 [ㅁ] 으로 변한다.

1) 졸업여행으로 제주도에 다녀왔어요.

2) 앞일은 누구도 예상할 수 없으니까 고민하지 말자.

3. 앞 단어에 'ㅅ, ㅈ, ㅊ, ㅌ' 받침이 있고 뒤 단어가 '야, 여, 요, 유, 얘, 예'로 시작할 때 그 사이에 [ㄴ]을 넣어 발음한다. 이때 'ㅅ, ㅈ, ㅊ, ㅌ' 은 [ㄴ]으로 변한다.

1) 바깥일에 쫓겨 집안일을 소홀히 하는 바람에 엄마에게 혼이 났어요.

2) 무릎이 너무 아파서 못 일어나겠어요.

4. 앞 단어에 'ㄱ, ㅋ' 받침이 있고 뒤 단어가 '야, 여, 요, 유, 얘, 예'로 시작할 때 그 사이에 [ㄴ]을 넣어 발음한다. 이때 'ㄱ, ㅋ' 은 [ㅇ]으로 변한다.

1) 거실은 다 정리했는데 부엌일은 못 하겠어.

2) 오늘 저녁 약속이 몇 시라고 했지요?

- 수여하다
- 무사히
- 수료증

3. V-(으)므로, N이므로

: 이유나 근거를 나타낸다.

1) 곧 공연이 시작되므로 휴대폰을 꺼 주시기 바랍니다.
2) 성적이 우수하므로 이 상장을 수여합니다.
3) 모든 과정을 무사히 마쳤으므로 이 수료증을 드립니다.
4) 아멜리 씨가 다 나았으므로 내일부터 학교에 나올 수 있다고 한다.
5) 이곳은 사고가 많이 발생하는 지역이므로 안전운전을 해야 한다.

4. V-던데(요), N(이)던데(요)

: 과거의 어떤 장면을 되살려 떠올리면서 그때 느낀 사실에 감탄하듯이 말할 때 쓴다.

1) 가: 흐엉 씨 못 봤어요? 전화도 안 받네요.
   나: 아까 오위노 씨랑 도서관에 가던데요.
2) 가: 아멜리 씨에게 무슨 일이 있어요? 교실에서 울고 있던데요.
   나: 아무래도 친구랑 다툰 것 같네요.
3) 가: 오늘까지 보고서를 제출해야 하는데 메이 씨가 다 했는지 모르겠네요.
   나: 어제 보니까 보고서를 다 작성했던데요.
4) 가: 자르갈 씨, 메이 씨의 남자 친구는 어느 나라 사람이에요? 중국 사람이에요?
   나: 아니요, 한국 사람이던데요.
5) 가: 곧 체육대회잖아요. 우리 반에서 달리기를 잘하는 사람이 누구인지 알아요?
   나: 파하드 씨에게 한번 물어 보세요. 파하드 씨가 ____________________.

연습하기

1. 다음과 같이 이야기해 보십시오.

요즘 학교 앞 도로가 많이 막히다
학교 앞에서 공사를 하고 있다
가: 요즘 학교 앞 길이 많이 막힙**니까?**
나: **네,** 학교 앞에서 공사를 하고 있**으므로** 요즘 학교 앞 도로가 많이 막힙**니다.**

1) 지금 안전벨트를 꼭 매야 하다
비행기가 곧 이륙하다
2) 산불 예방에 신경을 써야 하다
요즘은 날씨가 건조하다
3) 다음 달부터 전기를 사용할 수 없다
2달 간 전기세를 연체했다
4) 그는 성공할 것 같다
성실하게 살았다
5) 이곳은 직원들만 들어갈 수 있다
외부인 출입 금지 구역이다

• 공사
• 전기
• 외부인
• 구역

2. 다음과 같이 이야기해 보십시오.

제주도에 가 보니까 어떻다
경치가 정말 아름답다
가: 제주도에 가 보니까 어때**요?**
나: 경치가 정말 아름답**던데요.**

1) 로빈 씨 집이 학교에서 멀다
한 번 가 봤는데 가깝다
2) 아멜리 씨가 냉면을 좋아하다
지난번에 보니까 아멜리 씨는 냉면을 안 먹다
3) 어제 자르갈 씨 생일 파티에 누가 왔는지 알다
반 친구들이 거의 다 왔다
4) 흐엉 씨 다친 다리는 괜찮다
피가 많이 난 걸 보니까 많이 아프겠다
5) 오늘 백화점이 문을 열다
보통 월요일은 휴일이다

• 피

듣기 344

- 전동차
- 승강장
- 운행
- 중단되다
- 보도
- 협동
- 긴급하다
- 협동심
- 목숨
- 현장
- 엿보다
- 훈훈하다
- 용변
- 노인
- 돌보다
- 잔잔하다
- 해당
- 소속
- 게재되다
- 양해
- 톨게이트
- 손수
- 슬리퍼
- 곤란하다
- 피해
- 염려하다
- 귀감

※ 다음을 잘 듣고 물음에 답해 보십시오.

1. 들은 내용의 종류를 고르십시오.

① 안내　② 설명　③ 뉴스　④ 광고

2. 첫 번째 소식에서 들은 내용과 다른 것을 고르십시오.

① 이 사고는 복잡한 출근 시간에 발생했다.
② 여학생의 발이 지하철 출입문 틈에 끼었다.
③ 사고가 발생하여 지하철 운행이 잠시 중단됐다.
④ 주위 사람들이 함께 힘을 모아 여학생을 구했다.

3. 두 번째 소식에서 들은 내용과 같은 것을 고르십시오.

① 고속버스 안에서 70대 노인이 용변을 봤다.
② 이 버스는 서울에서 부산으로 가는 중이었다.
③ 버스 기사는 노인을 모시고 근처 휴게소로 갔다.
④ 다른 승객들에게 부탁하여 입을 옷과 신발을 구해왔다.

표현

1. N스럽다

1) 머리부터 발끝까지 다 사랑스러워.
2) 생각하지 못한 문제가 생겨서 걱정스럽다.

말하기

※ 고향 소식에 대해 이야기해 보십시오.

1. 어떤 내용으로 뉴스를 만들지 생각해 보십시오.

    1) 무슨 일이 있었습니까?
    2) 누가 한 일입니까?
    3) 어디에서 그 일이 있었습니까?
    4) 왜 그 일을 했습니까?

2. 듣기 내용과 같이 이야기해 보십시오.

읽기

수필 읽기

※ 다음을 읽고 물음에 답해 보십시오.

- 낭만
- 녀석
- 막
- 매체
- 남녀노소
- 열렬하다
- 학창
- 재빨리
- 녹음
- 버튼
- 지새다
- 손쉽다
- 사연
- 엽서
- 심야
- 순수하다
- 청춘
- 세월
- 되돌리다
- 문득

라디오의 낭만

올해 대학생이 된 아들 녀석 방에 들어갔더니 컴퓨터와 텔레비전을 켜 놓고 휴대폰으로 유명한 가수의 콘서트를 보고 있었다.

"라디오는 안 듣냐?"

"요즘 누가 라디오를 들어요? 듣기만 하는 건 너무 답답하잖아요. 요즘은 보는 라디오라고 해서 라디오도 인터넷으로 볼 수 있어요."

내가 대학교에 다닐 때 막 컬러텔레비전이 나오기 시작했다. 하지만 그때까지만 해도 라디오는 가장 가까운 매체였다. 남녀노소 모두가 라디오의 열렬한 팬이었다. 학창 시절, 좋아하는 노래가 나오면 재빨리 녹음 버튼을 누르며 밤을 지샜었다.

그리고 지금은 인터넷 게시판이나 휴대폰 문자메시지로 손쉽게 사연을 보내지만 그때는 다른 방법이 없었으므로 며칠 동안 고민하며 손수 쓴 편지와 엽서를 보냈었다. 고등학교 시절, 첫사랑에게 직접 고백하는 것이 부끄러워 몇 날 며칠을 고민하며 쓴 편지를 심야 방송에 보내 사연이 소개된 적도 있었는데……. 또 목소리만 듣던 DJ를 상상하며 그림을 그려 보기도 했었다. 그때 나에게 라디오를 듣는 것은 세상을 듣는 것이었다.

순수했던 나의 청춘! 세월을 돌릴 수는 없어도 그때 라디오의 낭만을 다시 되돌릴 수는 없을까? 문득 그 때 내 나이가 된 아들을 보며 생각해 본다.

1. 글쓴이의 심정으로 알맞은 것을 고르십시오.

① 섭섭하다　② 그립다　③ 짜증나다　④ 행복하다

2. 밑줄 친 부분과 바꾸어 쓸 수 있는 말을 고르십시오.

① 바로 그때　② 겨우　③ 잠깐　④ 조금 전에

3. 이 글의 내용과 다른 것을 고르십시오.

① 요즘에는 라디오를 인터넷으로 보기도 한다.
② 글쓴이는 학창 시절 사랑 고백 편지를 보낸 적이 있다.
③ 요즘에는 인터넷과 문자메시지로 라디오 사연을 보낸다.
④ 글쓴이는 요즘 라디오 문화가 발전되어 좋아졌다고 생각한다.

쓰기

※ 라디오 프로그램에 보내는 글을 써 보십시오.

1. 쓰고 싶은 사연에 대해 생각해 보십시오.

- 내가 좋아하는 사람에게 고백을 하고 싶다.
- 부모님께 나의 한국 생활을 알리고 싶다.
- 내가 겪은 재미있었던 일을 말하고 싶다.
- 우리 반 친구의 좋은 일을 축하해 주고 싶다.
- 열심히 공부하는 우리 반 친구들을 위해 간식을 신청하고 싶다.

1) 이 사연을 소개하고 싶은 이유가 무엇입니까?
2) 언제, 어디에서 있었던 일입니까?
3) 어떤 일이 있었습니까?

2. 생각한 내용을 바탕으로 개요를 완성해 보십시오.

처음	저는 ___________에 사는 ___________입니다. ______________________아/어/여서 이 사연을 쓰게 되었습니다.
중간	(언제, 어디에서) ______________________ 있었던 일입니다. (내용 소개)
끝	______________________아/어/여 주세요.

3. 개요를 바탕으로 다음과 같이 글을 써 보십시오.

예

저는 인천에 사는 박지성입니다. 제가 고등학교 때 자주 갔던 한 중국집에 대해 이야기하려고 합니다. 저희 집 앞에는 중국집이 있는데 그 집은 수타면 전문이어서 사장님의 자부심이 대단했습니다. 하지만 손님은 너무 적었습니다. 평소에 그 중국집에 자주 가던 저는 우리 반 친구들과 함께 그곳에 갔습니다. 사장님 내외분은 아주 기뻐하셨습니다.

주문 후에 짜장면과 짬뽕, 우동이 나오기 시작했습니다. 음식의 맛을 본 친구들은 모두 맛있다고 했습니다. 저는 단골집 사장님께 도움을 드렸다는 생각에 기분이 좋았습니다. 하지만 사장님은 곧 지쳐 가기 시작했습니다. 급기야 사모님이 사장님의 어깨를 주무르면서 땀을 닦기 시작했고 면발은 조금씩 두꺼워지더니 거의 마지막 짜장면은 면발이 떡볶이 두께가 되어서 나왔습니다. 친구들은 웅성거리기 시작했고 당황한 저는 사장님 내외분을 쳐다봤습니다. 사장님은 너무 힘들어서 의자에 앉아 쉬고 계셨고, 사모님께서 있는 힘껏 수타를 치고 계셨습니다.

그 다음날 중국집 문은 굳게 잠겨 있었고 다음과 같이 적힌 종이가 붙어 있었습니다.

'건강상의 이유로 당분간 쉽니다.'

- 수타면
- 전문
- 자부심
- 대단하다
- 내외분
- 급기야
- 주무르다
- 면발
- 웅성거리다
- 힘껏
- 당분간

문화 이해하기

- 사수
- 리모컨
- 대기하다
- 기약하다
- 메우다
- 현실
- 드러나다
- 도도하다
- 안식처
- 역할
- 해소
- 권선징악
- 통쾌하다
- 예상하다

한국 TV 드라마의 매력

드라마, 사실도 아닌 것에 우리는 울고 웃는다. '본방사수'를 위해 리모컨을 들고 5분 전부터 대기하고, 드라마가 끝나면 아쉬워하며 다음 주를 기약한다. 드라마가 끝나면 관련 기사들이 뉴스 사이트를 가득 메운다. 이처럼 드라마가 우리 삶에서 지니는 의미는 꽤 크다고 할 수 있다.

시청자들은 드라마를 보면서 현실에서는 불가능한 자신의 이상형을 만나기를 기대한다. 드라마 속 여자 주인공들은 자신이 원하는 것을 솔직하게 이야기하고 그것을 추구한다. 가난하지만 능력이 있고, 자신이 오해를 받지만 늘 다른 사람을 배려하는 모습이 나타난다. 이러한 모습에 많은 한국의 남성들은 매력을 느낀다. 겉으로 드러나는 남자 주인공의 모습은 언제나 도도한 매력이 있다. 말은 예쁘게 하지 않지만 언제나 여성을 배려하고 뒤에서 도와주기도 한다. 이런 드라마 속 남자 주인공들은 여성 시청자들의 이상형으로 자리 잡는다.

또한 드라마 속 세상은 힘든 현실을 잊도록 하는 안식처의 역할을 한다. 사람들은 드라마를 보면서 현재의 힘든 상황을 이겨내는 방법을 찾기도 하고 과거 자신의 모습을 돌아보기도 한다. 드라마 속 가족 간의 갈등과 해소, 권선징악의 내용을 통해 통쾌함을 느낀다.

누구나 예상하기 쉬운 내용인데도 볼수록 빠지게 만드는 텔레비전 드라마. 오늘 저녁에도 드라마를 보면서 그 매력에 빠져들어 보는 것은 어떨까.

※ 이야기해 보십시오.

1. 여러분이 본 한국 드라마는 무엇이 있습니까?

2. 여러분이 본 한국 드라마 중에서 기억에 남는 것은 무엇이 있습니까? 이유는 무엇입니까?

3. 그 드라마를 보고 알게 된 한국 사회의 특징은 무엇입니까?

M.E.M.O.

제12과 공연과 감상

준비하기 1
연주회 표 예매하기
AV-(으)ㄹ 겸 (해서), N_1 겸 N_2
AV-다(가) 보면/보니(까)

준비하기 2
국악 공연 감상하기
피동
N_1(이)나 N_2(이)나 (할 것 없이)

듣기
영화 관람객 인터뷰 듣기

말하기
인상적인 공연 추천하기

읽기
작품 해석하기

쓰기
공연 감상문 쓰기

문화 이해하기
소극장

12 공연과 감상

준비하기1 345

연주회 표 예매하기

- 국악
- 거문고
- 티켓
- 바람(을) 쐬다
- 로그인
- 어쩐지
- 클릭하다
- 단계
- 결제
- 창
- 입력하다

아멜리: 이번 주말에 국립 국악원에서 거문고 연주회가 있는데 같이 보러 갈래?

파하드: 거문고 연주회? 갑자기 왜?

아멜리: 인하 친구가 거문고 연주회 할인권을 줬어. 할인된 가격으로 티켓을 예매할 수 있거든.

파하드: 거문고 연주회가 좀 낯설기는 하지만 오랜만에 바람도 쐴 겸 한국 전통 음악도 체험할 겸 같이 한번 가 보자.

아멜리: 그래, 좋아. 근데 인터넷으로 예매를 해야 하는데 어떻게 하는 건지 모르겠어. 좀 도와줄래?

파하드: 어디 보자. 예매는 국립국악원 홈페이지에서 하면 될 것 같은데? 그런데 회원 가입 이후에 로그인이 가능하니까 먼저 회원 가입부터 하자.

아멜리: 어쩐지……. 아무리 예매하기를 클릭해도 안 되더라고.

파하드: 회원 가입을 해서 로그인을 하고 그 다음에 예매하기를 클릭해서 단계별로 진행을 하면 돼. 먼저 공연명을 선택하고 그 다음 날짜와 시간을 선택하고 좌석을 선택해. 그러면 할인 방법과 결제 방법 창이 뜰 거야. 거기에 할인권 번호를 입력해서 할인을 받고 결제를 하면 돼. 이런 것도 자꾸 하다가 보면 익숙해질 거야.

1. AV-(으)ㄹ 겸 (해서), N_1 겸 N_2

: 두 가지 목적이나 역할이 함께 있음을 나타낸다.

1) 가: 한국에 왜 왔어요?
   나: 한국어도 공부하고 한국 문화도 배울 겸 해서 왔어요.
2) 가: 왜 백화점에 가요?
   나: 쇼핑도 할 겸 해서 백화점에 가려고요.
3) 가: 부산에 간다면서요?
   나: 바다도 보고 회도 먹을 겸 해서 부산에 가려고요.
4) 가: 시험도 끝났는데 뭐 할까요?
   나: 스트레스도 풀 겸 노래방에 갑시다.
5) 가: 무슨 일로 전화하셨어요?
   나: 오랜만에 목소리도 듣고 안부도 물을 겸 전화했어요.
6) 가: 파하드 씨, 아버지께서는 무슨 일을 하세요?
   나: 제 아버지께서는 의사 겸 소설가세요.

2. AV-다(가) 보면/보니(까)

: 어떤 행동을 하는 과정에서 새로운 사실을 알게 됨을 나타낸다.

1) 가: 이 시간까지 친구랑 있었어요?
   나: 그 친구와 얘기를 하다 보면 항상 시간이 잘 가요.
2) 가: 마음이 복잡할 때 어떻게 해요?
   나: 조용한 음악을 듣다 보면 마음이 편안해져요.
3) 가: 헤어진 남자 친구가 계속 생각이 나요. 어떻게 하죠?
   나: 바쁘게 지내다가 보면 그 사람을 잊을 수 있을 거예요.
4) 가: 혼자 유학생활을 하다 보니까 힘들 때가 많이 있어요.
   나: 주로 어떤 게 힘들어요?
5) 가: 음식을 열심히 만들어 놓고 왜 안 먹어요?
   나: 많이 만들다가 보니까 음식 냄새 때문에 먹기가 싫어졌어요.
6) 가: 요즘은 잘 안 싸우나 봐요.
   나: 그 사람을 계속 겪다가 보니까 이해하게 되었어요.

연습하기

1. 다음과 같이 이야기해 보십시오.

• 체력

요즘 아르바이트를 하다
생활비도 벌다 / 등록금도 마련하다
가: 요즘 아르바이트를 해요?
나: 네, 생활비도 벌고 등록금도 마련할 겸 해서 아르바이트를 해요.

1) 산에 가다
등산도 하다 / 여자 친구와 데이트도 하다
2) 학교까지 걸어 다니다
운동도 하다 / 교통비도 아끼다
3) 주말마다 야구 모임에 가다
체력도 기르다 / 친구도 사귀다
4) 로빈 씨 집에 가다
이야기도 하다 / 빌려준 책도 받다
5) 봉사 단체에 가입했다
경험도 쌓다 / 어려운 사람도 돕다

2. 다음과 같이 이야기해 보십시오.

• 비평가

이 카드의 장점은 무엇이다
신용카드 / 교통카드로 사용할 수 있다
가: 이 카드의 장점은 뭐예요?
나: 신용카드 겸 교통카드로 사용할 수 있어요.

1) 그 사람한테 왜 말을 걸었다
인사 / 말을 건넸다
2) 이곳은 어떤 곳이다
강당 / 체육관이다
3) 그 사람은 무슨 일을 하다
그 사람은 교수 / 사회 비평가이다

3. 다음과 같이 이야기해 보십시오.

한국말을 잘하고 싶다
한국 사람과 이야기를 많이 하다 / 잘하다
가: 한국말을 잘하고 싶**어요.**
나: 한국 사람과 이야기를 많이 하**다가 보면** 잘하**게 될 거예요.**

1) 살을 빼고 싶다
조금씩 자주 먹다 / 살이 빠지다
2) 그 사람은 나를 어려워하는 것 같다
같이 일하다 / 친해지다
3) 일주일 동안 계속 놀기만 했다
그렇게 놀다 / 유학 생활을 후회하다

4. 다음과 같이 이야기해 보십시오.

• 작문

오랜만에 책상을 정리하다 / 버릴 것들이 많이 나왔다
책상 정리를 자주 하다
가: 오랜만에 책상을 정리하**다가 보니까** 버릴 것들이 많이 나왔**어요.**
나: 책상 정리를 자주 하**세요.**

1) 옛날 사진을 보다 / 어릴 적 친구가 생각나다
친구에게 연락을 한번 해 보다
2) 한국어로 일기를 쓰다 / 작문 실력이 늘었다
앞으로도 꾸준히 연습해 보다
3) 운동을 하다 / 눈에 띄게 건강해졌다
계속해서 건강을 유지하다

- 음색
- 마치
- 별
- 우수수
- 편견

아멜리: 거문고에 대해서 들어 본 적이 있어요? 한국의 전통 악기인데…….

로 빈: 거문고요? 한국의 전통 악기에 대해서는 잘 몰라요. 왜요?

아멜리: 지난 주말에 국립 국악원에서 거문고 연주회를 보고 왔거든요. 거문고라는 악기가 그렇게 아름다운 음색으로 들릴 줄은 몰랐어요.

로 빈: 국악은 재미없지 않아요?

아멜리: 저도 그렇게만 생각을 했었는데 직접 공연을 보니까 그렇지 않았어요. 거문고 연주를 듣는데 마치 하늘의 별이 우수수 떨어지는 느낌이었어요. 거문고에서 어떻게 그런 아름다운 소리가 나오는지 정말 깜짝 놀랐어요.

로 빈: 별이 떨어지는 느낌이 들었어요? 어떤 소리인지 저도 궁금해지네요. 그런데 국악에 어떻게 관심을 갖게 됐어요?

아멜리: 제 친구가 국악을 전공하거든요. 친구를 통해서 국악에 대해 자주 듣다 보니까 관심을 갖게 됐어요. 전통음악이나 현대음악이나 사람의 마음을 편하게 하는 건 같더라고요. 나중에 로빈 씨도 국악 공연을 보러 같이 한번 가요.

로 빈: 전통 음악은 지루할 거라고만 생각해서 관심이 별로 없었는데 그런 편견을 버리고 문화를 경험한다는 생각으로 전통음악도 즐기도록 해야겠네요.

표현

1. 마치 V-(으)ㄴ/는 것 같다

1) 마치 꿈을 꾸는 것 같다.

2) 어린 아이가 마치 엄마의 생각을 모두 아는 것 같이 행동한다.

• 발음 347 •

1. 동사, 형용사의 받침 'ㅎ'이 뒤에 오는 'ㄷ,ㅈ,ㄱ'을 만나면 'ㅎ'과 'ㄷ,ㅈ,ㄱ'이 하나로 합쳐져서 [ㅌ,ㅊ,ㅋ]로 발음된다.

1) 어떻게 하는 건지 모르겠어.

2) 오늘 준비한 음식이 조금 많지요?

3. 피동

: 어떤 행동이 자기 힘이 아닌 다른 대상에 의해 그렇게 되었을 때 사용한다.

1) 가: 이 물건은 뭐하는 데에 사용합니까?
나: 그 물건은 다양한 용도로 쓰입니다.

2) 가: 지금 가게에 갈 건데 뭐 좀 사다 줄까?
나: 아마 가게 문이 닫혔을 거야. 한밤중이잖아.

3) 가: 책은 샀어요?
나: 아니요. 어제 서점에 가 보니까 다 팔리고 없더라고요.

4) 가: 아까 전화를 왜 갑자기 끊었어요?
나: 엘리베이터를 탔더니 갑자기 전화가 끊겼어요.

5) 가: 한국의 대통령은 어떻게 뽑힙니까?
나: 국민의 투표에 의해서 뽑힙니다.

• 용도
• 한밤중
• 대통령
• 뽑히다
• 국민
• 투표

4. N_1(이)나 N_2(이)나 (할 것 없이)

: 양쪽 모두를 포함함을 나타낸다.

1) 가: 휴가철이라 어디를 가도 사람이 많네요.
나: 맞아요. 휴가철에는 산이나 바다나 다 만원이에요.

2) 가: 로빈 씨는 공부뿐만 아니라 운동도 잘한대요.
나: 공부나 운동이나 할 것 없이 다 소질이 있나 봐요.

3) 가: 한국 사람들은 모두 이 음식을 좋아해요?
나: 그럼요. 아이나 어른이나 할 것 없이 모두가 좋아하는 음식이에요.

4) 가: 무슨 운동을 좋아해요?
나: 농구나 축구나 할 것 없이 다 좋아해요.

5) 가: 요즘은 너나 나나 할 것 없이 모두가 질서를 참 잘 지켜요.
나: 저도 그렇게 느꼈어요. 참 보기 좋아요.

• 만원
• 소질
• 질서

연습하기

1. 다음과 같이 이야기해 보십시오.

- 이상하다
- 찢다

라면을 먹을 때는 무엇이 사용되다
젓가락을 쓰다
가: 라면을 먹을 때는 무엇이 사용**돼요?**
나: 젓가락**이 쓰여요.**

1) 경찰이 범인을 잡았다
   네, 어제 범인을 잡았다
2) 왜 그렇게 놀라다
   갑자기 이상한 소리를 들었다
3) 영수증이 왜 그렇다
   물에 젖어서 찢었다
4) 창문 밖에 무엇이 있다
   산을 보다
5) 교실이 왜 이렇게 춥다
   창문을 열었다

2. 다음과 같이 이야기해 보십시오.

- 성형수술
- 붐비다
- 석사
- 박사

뒤로 메는 가방이 유행이다
직장인/대학생/좋아하다
가: **요즘** 뒤로 메는 가방이 유행**인가 봐요.**
나: 직장인**이나** 대학생**이나 할 것 없이** 좋아한**대요.**

1) 성형수술을 많이 하다
   남자/여자/성형수술을 하다
2) 이 뮤지컬이 인기가 있다
   평일/주말/사람이 붐비다
3) 로빈 씨가 몸이 안 좋다
   팔/다리/안 아픈 곳이 없다
4) 사람들이 사회에 관심이 많다
   정치/경제/찾아서 보고 듣다
5) 취업하기가 어렵다
   석사/박사/취업이 안 돼서 걱정이다

듣기 348 영화 관람객 인터뷰 듣기

※ 다음을 잘 듣고 물음에 답해 보십시오.

1. 들은 내용과 다른 것을 고르십시오.

① 압도적인 인기를 계속 얻고 있다.
② 지난 11일부터 현재까지 상영 중이다.
③ 조선 시대 천재 관상가의 삶이 담긴 사극 영화이다.
④ 추석 연휴 사흘 동안 610만 명의 관객이 영화를 관람했다.

2. 사극에 대한 사람들의 생각으로 다른 것을 고르십시오.

① 우리의 역사를 되돌아 볼 수 있어서 좋다.
② 현재와 다른 시대를 상상하면서 보니까 더 흥미롭다.
③ 옛날 시대 모습들을 화면을 통해 보는 것이 새롭다.
④ 사극 영화는 사실적이어야만 유익한 자료가 될 수 있다.

- 극장가
- 사극
- 운명
- 천재
- 관상가
- 개봉
- 인터뷰
- 화면
- 신선하다
- 되돌아보다
- 왜곡하다
- 제공하다
- 평론가
- 후손
- 역사의식
- 심다
- 압도적
- 상영
- 사실적
- 유익하다

말하기

인상적인 공연 추천하기

- 등장인물
- 창작
- 주방장
- 대결
- 효과음
- 칼질
- 한참
- 방청객
- 초청하다
- 흥겹다
- 분위기

※ 인상적인 공연에 대해 이야기해 보십시오.

1. 관람했던 공연에 대해 생각해 보십시오.

1) 그 공연 제목은 무엇입니까?
2) 등장인물은 누구입니까?
3) 무슨 내용입니까?
4) 추천하고 싶은 이유는 무엇입니까?

2. 다음과 같이 이야기해 보십시오.

예

저는 뮤지컬 공연'비밥'**을 추천하고 싶습니다.** 비밥은 창작 뮤지컬인데 주방장 두 사람이 나와서 요리 대결을 하**는 내용입니다.** 대화가 없어서 외국인들도 즐겁게 관람할 수 있습니다. 또한 손과 입을 통해 모든 효과음을 만드는 비트박스(beatbox)로 칼질하는 소리, 물 끓는 소리, 걸어오는 소리 등을 들을 수 있어서 정말로 신기했습니다. **한참 보다가 보면** 방청객도 무대 위로 초청해서 함께 참여할 기회를 제공하고 선물도 주는 모습을 볼 수 있습니다. 흥겹고 즐거운 분위기의 공연을 원한다면 비밥**을 꼭 보세요.**

읽기

작품 해석하기

※ 다음을 읽고 물음에 답해 보십시오.

> 올해의 젊은 연극인상
>
> 대단한 입소문!!
> 마음껏 웃다가 폭풍 감동 속으로 빠져든다!
>
> **노인과 바다**
>
> 원작: 어니스트 헤밍웨이 각색: 김지민
>
> 2000년 11. 13(수) ~ 11. 24(일) 인하문화회관아트홀
> 평일 8시 / 토요일 4시, 7시 / 일요일 3시, 6시
> (쉬는 날은 없습니다.)

노인과 바다의 원작에서 고기잡이 일을 하는 주인공 노인은 이틀 동안 죽도록 고생을 하다가 큰 물고기를 잡았지만 결국 상어 떼에게 빼앗기게 된다. 그렇지만 이 작품 속에는 노인이 포기하지 않고 다시 일어서는 모습이 잘 나타나 있다. 노인은 패배했어도 끝까지 도전하려는 용기가 있는 사람이다. 절대로 지지 않으려는 노인의 정신은 삶을 포기하지 않으려는 인간의 의지를 나타낸다.

이 작품은 원작을 재미있게 각색하여 웃음을 주는 동시에 원작과 같이 힘든 시대를 살아가는 사람들에게 큰 희망을 준다. 이 공연을 본 사람들은 노인의 모습을 통해 인간이 살아가면서 겪는 수많은 실패와 어려움을 보게 된다. 하지만 그것을 통해 실망하거나 포기하지 않는 인내와 용기, 그리고 세상에 대한 긍정적인 태도와 도전 정신을 배울 수 있다.

- 입소문
- 마음껏
- 폭풍
- 빠져들다
- 원작
- 각색
- 고기잡이
- 고생
- 상어
- 빼앗기다
- 패배하다
- 의지
- 희망
- 인내
- 정신

1. 이 연극에 대한 설명과 다른 것을 고르십시오.

① 연극의 분위기는 어둡고 무겁다.
② 어니스트 헤밍웨이의 원작을 각색했다.
③ 11월 13일~24일까지 매일 공연을 한다.
④ 사람들 사이에서 재미있다는 소문이 났다.

- 수많다

2. 연극 '노인과 바다'의 중심 생각을 고르십시오.

① 인간은 절대로 패배하지 않는다.
② 인간은 살면서 수많은 문제가 생긴다.
③ 수많은 실패를 겪으면 실망을 하게 된다.
④ 힘든 시대일수록 희망을 갖는 것이 중요하다.

쓰기

※ 관람했던 공연에 대해 글을 써 보십시오.

1. 감명 깊게 본 공연에 대해 생각해 보십시오.

1) 어떤 공연입니까? 그 공연을 왜 봤습니까?
2) 그 공연에서 가장 인상적인 장면은 무엇입니까?
3) 그 장면이 왜 인상적입니까?

2. 생각한 내용을 바탕으로 개요를 완성해 봅시다.

처음	(공연 소개) 이 공연은
중간	
끝	(느낀 점)

3. 개요를 바탕으로 글을 써 보십시오.

문화 이해하기

소극장

연극은 드라마나 영화와는 달리 배우들이 우리의 눈앞에서 실제로 움직이기 때문에 더욱 실감난다. 그래서 감동이 크고 생생할 수밖에 없다. 여기에 연극의 맛이 있다.

연극은 보통 규모에 따라 대극장과 소극장으로 나누어 공연을 한다. 대극장은 1200석 내외의 공연장으로 한꺼번에 많은 관객이 입장할 수 있다는 장점이 있다. 반면에 소극장은 300석 이하의 작은 공연장으로 대극장과는 달리 극 전달이 자세하다는 장점이 있다. 배우들의 표정이나 몸짓 등을 하나하나 잘 살펴볼 수 있으며 배우들과 눈을 마주치면서 대화가 가능하기 때문에 소극장은 소통의 무대라고 말할 수 있다.

80년대 인천에도 적지 않은 소극장들이 있었고 나름대로의 색깔과 목소리로 사랑을 받았다. 그러나 대규모의 복합 문화 시설이 생기며 소극장에서만 느낄 수 있는 독특한 문화가 점점 그 힘을 잃어가고 있다. 현재 인천에는 남아있는 소극장이 몇 군데 없지만 아직도 소극장의 매력을 느끼기 위해 그곳을 찾는 관객들이 존재한다.

인천의 소극장뿐만 아니라 서울 대학로의 소극장에서도 다채로운 공연을 볼 수 있다. 이번 주말에는 가까운 소극장을 찾아가 배우들과 직접 교감을 나누어 보자.

- 더욱
- 실감나다
- 생생하다
- 석
- 한꺼번에
- 극
- 전달
- 표정
- 마주치다
- 소통
- 나름
- 복합
- 남아있다
- 군데
- 존재하다
- 다채롭다
- 교감

※ 이야기해 보십시오.

1. 대극장에 비해 소극장의 장점은 무엇이라고 생각하는지 이야기해 봅시다.

2. 드라마나 영화와는 다르게 연극을 통해서 얻을 수 있는 즐거움에는 어떤 것이 있는지 이야기해 봅시다.

제13과 인터넷

준비하기 1

공인인증서에 대한 정보 제공하기
AV-(으)ㄹ 지경이다
V-(으)ㄹ 텐데, N(이)ㄹ 텐데

준비하기 2

SNS 중독과 관련하여 조언하기
V-(ㄴ/는)다니요?, N(이)라니요?, V-냐니요?,
AV-(으)라니요?, AV-자니요?
AV-다가는

듣기
SNS 열풍에 대한 뉴스 듣기

말하기
SNS 기능에 대해 토의하기

읽기
논설 기사 읽기

쓰기
인터넷의 장점과 단점 쓰기

문화 이해하기
선플달기 운동

Esc

13 인터넷

준비하기1 349

공인인증서에 대한 정보 제공하기

- 계좌
- 금액
- 이체하다
- 공인인증서
- 저장하다
- 거래
- 신원
- 전자서명
- 다운로드

오위노: 뭘 그렇게 열심히 하고 있어?

아멜리: 아, 선배. 인터넷 뱅킹을 이용해서 친구에게 돈을 보내려고 하는데 잘 안 돼서 머리가 터질 지경이에요. 도대체 뭐가 문제인지 모르겠어요.

오위노: 어디 좀 보자. 계좌를 선택하고, 비밀번호를 누르고, 상대방의 계좌 번호와 금액을 쓰고, 이체하기를 누르고……. 공인인증서는 어디에 저장해 놨어?

아멜리: 공인인증서요? 그게 뭐예요?

오위노: 공인인증서란 지금처럼 인터넷으로 돈과 관련된 거래를 할 때 그 사람의 신원을 확인하기 위한 전자서명이야.

아멜리: 공인인증서가 없어서 이체가 안 됐었구나. 그건 어디에서 다운로드 받을 수 있어요?

오위노: 먼저 거래하고 있는 은행에 가서 신청한 다음에 홈페이지를 통해서 다운로드 받으면 돼.

아멜리: 이것만 알았어도 쉽게 이체할 수 있었을 텐데 그것도 모르고 괜히 고생만 했네요.

1. AV-(으)ㄹ 지경이다

: 앞의 이유 때문에 더할 수 없는 정도가 된 상태임을 나타낸다.

1) 가: 많이 피곤해 보이네요.
   나: 이것저것 일이 겹쳐서 쓰러질 지경이에요.
2) 가: 정신없이 바빠 보여요.
   나: 네, 문의 전화가 많아서 모든 업무가 마비될 지경이에요.
3) 가: 이거 쌀벌레 아니에요?
   나: 갑자기 쌀벌레가 생겨서 도저히 밥을 해 먹지 못할 지경이에요.
4) 가: 기운이 없어 보이는데 무슨 일이에요?
   나: 아침을 안 먹었더니 배가 고파서 죽을 지경이에요.
5) 말 한마디 잘못했다가 목숨까지도 잃을 지경이었다.

✓ AV-(으)ㄹ 정도이다

한국어를 너무 잘해서 한국 사람으로 착각할 정도예요.

- 겹치다
- 마비되다
- 쌀벌레
- 기운
- 착각하다

2. V-(으)ㄹ 텐네, N(이)ㄹ 텐데

: 말하는 사람이 추측하여 상황을 제시함을 나타낸다.

1) 가: 주말이라 길이 막힐 텐데 지하철을 타는 게 어때요?
   나: 좋은 생각이네요.
2) 가: 주말에 혼자 있으면 심심할 텐데 같이 영화를 봅시다.
   나: 좋아요. 그럽시다. 저는 액션 영화를 보고 싶어요.
3) 가: 담배를 많이 피우면 건강에 해로울 텐데 끊을 생각 없어요?
   나: 끊어야죠. 이게 제가 피우는 마지막 한 개비예요.
4) 가: 저기 사고가 크게 난 것 같아요.
   나: 조금만 조심했다면 사고가 나지 않았을 텐데.
5) 가: 버스에서 앞 사람이 조금만 자리를 양보해 준다면 좋았을 텐데.
   나: 그러게 말이에요. 할머니가 서 계시는 게 보기 안 좋았어요.
6) 가: 한 문제만 더 맞았으면 내가 일등일 텐데 정말 아쉬워요.
   나: 다음에는 실수하지 말고 더욱 집중하세요.

- 개비
- 일등

연습하기

1. 다음과 같이 이야기해 보십시오.

- 부러지다
- 미치다
- 학비
- 기둥뿌리

일이 많다 / 허리가 부러지다
가: **그렇게** 일이 많**아요?**
나: **네, 너무** 일이 많**아서** 허리가 부러질 **지경이에요.**

1) 무겁다 / 팔이 빠지다
2) 배가 고프다 / 돌도 씹어 먹다
3) 게임을 하고 싶다 / 미치다
4) 답답하다 / 가슴이 터지다
5) 학비가 비싸다 / 집의 기둥뿌리가 뽑히다

2. 다음과 같이 이야기해 보십시오.

- 충분하다
- 옮기다

아내가 기다리다 / 서두르지 않아도 되다
미리 전화해 뒀다
가: 아내가 기다리**ㄹ 텐데** 서두르지 않아도 **돼요?**
나: **괜찮아요.** 미리 전화해 뒀**어요.**

1) 겨울이 되면 추워지다 / 겨울옷을 더 준비하지 않다
   이 정도면 충분하다
2) 내일은 하루 종일 바쁘다 / 영화 예매를 취소하는 게 어떻다
   그 시간 전에 끝날 것이다
3) 짐이 무거워서 혼자 옮기기가 어렵다 / 도움이 필요하지 않다
   포장만 크지 실제로는 가볍다

3. 다음과 같이 이야기해 보십시오.

- 해돋이
- 문제

조금 더 열심히 공부하다 / 장학금을 받다
가: 조금 더 열심히 공부**했으면** 장학금을 받**았을 텐데 아쉬워요.**
나: **다음에 또 기회가 있겠죠.**

1) 산 정상에 서둘러 올라가다 / 해돋이를 처음부터 감상하다
2) 휴가가 조금 더 길다 / 더 많은 곳을 여행하다
3) 다양한 내용의 책을 읽다 / 이 문제를 쉽게 깨닫다

준비하기2 350

SNS 중독과 관련하여 조언하기

- 태블릿
- 수리
- 중독되다
- 의심하다
- 각자

메이: 로빈 씨, 혹시 노트북이나 태블릿 PC 있어요?

로빈: 오랜만에 만났는데 첫 인사가 그거예요? 좀 당황스럽네요.

메이: 아, 미안해요. 이틀 전에 제 휴대전화가 고장 났거든요. 주말이라 수리를 맡기지도 못하고 해서 휴대전화를 안 가지고 다녔더니 손이 떨릴 지경이에요.

로빈: 뭐라고요? 밥을 안 먹은 것도 아니고 휴대전화가 없다고 손이 떨린다니요? 요즘 스마트폰에 중독된 사람이 많다던데 혹시 메이 씨도 중독이 아닌지 의심해 봐야겠네요.

메이: 정말 그런 걸지도 몰라요. SNS에 친구들이 올린 글이나 사진들이 너무 궁금해서 못 견디겠어요. 게다가 제가 쓴 글에 남겨진 댓글을 확인하지 못하면 불안하기도 해요.

로빈: 친구들과 소식을 나누며 대인관계에 신경을 쓰는 것도 좋지만 계속 그렇게 하다가는 오히려 대인관계에 문제가 생길 수도 있겠어요.

메이: 맞아요. 요즘 친구들을 만나도 각자 휴대전화만 보고 있을 때도 있어요.

로빈: 이번 기회에 SNS를 잠시 잊고 주변 사람들과 직접 얼굴을 보고 대화하는 시간을 늘려보는 게 어때요?

발음 351

1. 받침 'ㅂ, ㄼ, ㄷ, ㅈ, ㄵ, ㄱ, ㄺ'이 뒤에 오는 'ㅎ'을 만나면 서로 합쳐져 [ㅍ, ㅌ, ㅊ, ㅋ]로 발음된다.

1) 댓글을 확인하지 못하면 불안하기도 해요.

2) 그 일만 생각하면 가슴이 답답해요.

3. V-(ㄴ / 는)다니요?, N(이)라니요?, V-냐니요?, AV-(으)라니요?, AV-자니요?

: 뜻밖의 일이라서 놀라거나 감탄함을 나타낸다.

1) 가: 아멜리 씨는 한국어를 정말 잘 하시는 것 같아요.
   나: 한국어를 잘한다니요? 아직도 배울 것이 많아요.
2) 가: 편지 보냈는데 받았어요?
   나: 편지를 보냈다니요? 저는 못 받았는데요.
3) 가: 벌써 3시 20분인데 왜 안 와요?
   나: 왜 안 오냐니요? 오늘 약속 다른 날로 변경한 거 잊어버렸어요?
4) 가: 오늘 우산을 꼭 가지고 가세요.
   나: 우산을 가지고 가라니요? 오늘 하루 종일 날씨가 맑을 거래요.
5) 가: 오늘 쇼핑하러 갈까요?
   나: 내일이 시험인데 쇼핑을 가자니요?
6) 가: 저기 지나가는 사람이 연예인 아니에요?
   나: 연예인이라니요? 그냥 평범한 사람 같은데요.

- 더디다
- 여유
- 부리다
- 고집부리다

4. AV-다가는

: 앞의 행동이 계속되면 부정적인 상황이나 의외의 결과가 생기게 될 것임을 나타낸다.

1) 가: 자꾸 그렇게 장난치다가는 다친다.
   나: 네, 조심할게요.
2) 가: 이렇게 더디게 하다가는 시간 내에 끝내지 못할 것 같아요.
   나: 시간이 가는 줄도 모르고 여유를 부렸네요.
3) 가: 계속 고집부리다가는 될 일도 안 될 거예요.
   나: 그렇죠. 이제 그만 고집을 버리는 게 낫겠죠?
4) 가: 그렇게 끊임없이 먹다가는 배가 터질지도 몰라요.
   나: 이 정도는 문제없으니까 걱정하지 마세요.
5) 가: 계속해서 텔레비전을 가까이 봤다가는 눈을 버리기 쉬워요.
   나: 앞으로 조심할게요.

✓ DV(덥다 / 춥다)-다가는

날씨가 계속 이렇게 덥다가는 더위에 지쳐 죽는 사람도 생기겠어요.

연습하기

1. 다음과 같이 이야기해 보십시오.

명동 / 물건 값이 정말 저렴하다
저렴하다 / 우리 동네보다 훨씬 비싸다
가: 명동**은** 물건 값이 정말 저렴해**요.**
나: 저렴하**다니요?** 우리 동네보다 훨씬 비싼**데요.**

1) 자르갈 씨 / 한국어를 아주 잘하다
   잘하다 / 아직 실력이 부족하다
2) 이 이야기 / 무척 신비롭다
   신비롭다 / 이상하고 무섭다
3) 숙제 / 끝까지 다 했다?
   숙제를 했다? / 오늘은 숙제가 없었다
4) 다이어트 / 잘 되어 가다?
   잘 되어 가다? / 오히려 더 쪘다
5) 저 사람 / 교수님이시다?
   교수님이시다 / 우리 반 반장이다

2. 다음과 같이 이야기해 보십시오.

게으름을 피우다 / 보고서를 제시간에 제출하지 못하다
서두르다
가: **그렇게** 게으름을 피우**다가는** 보고서를 제시간에 제출하지 못 **할 거예요.**
나: **그럼** 서둘러**야겠네요.**

1) 서두르다 / 어떤 일도 제대로 하지 못하다
   여유를 가지다
2) 사람을 함부로 대하다 / 주변 사람들이 모두 떠나다
   반성하고 앞으로 잘하다
3) 계속 비를 맞다 / 감기에 걸리기 쉽다
   우산을 사서 쓰다
4) 다른 사람의 말을 흘려서 듣다 / 큰코다치다
   조금 더 주의해서 듣다
5) 방심했다 / 분명히 실수하다
   조심하다

- 게으름
- 제시간
- 반성하다
- 흘려서
- 큰코다치다
- 방심하다

듣기 352

- 무분별하다
- 부작용
- 유용하다
- 공유하다
- 기획하다
- 다용도
- 비중
- 사생활
- 침해
- 범죄
- 악용되다
- 초래하다
- 제한적
- 신뢰하다

※ 다음을 잘 듣고 물음에 답해 보십시오.

1. 들은 내용 중 SNS의 장점과 단점을 간단하게 쓰십시오.

SNS의 장점	SNS의 단점
• 친구를 만들 수 있다.	• 인터넷에 중독될 수 있다.

2. 들은 내용과 일치하지 않는 것을 고르십시오.

① 스마트폰 사용이 많아지면서 SNS 사용자들도 증가했다.
② SNS는 시간이나 장소와 관계없이 사용할 수 있다.
③ 멀리 있는 사람을 빠르고 편리하게 이어준다.
④ 대부분의 정보를 신뢰할 수 있다.

말하기

SNS 기능에 대해 토의하기

※ SNS의 기능에 대해 이야기해 보십시오.

1. 여러분이 사용하는 SNS에는 어떤 기능과 장단점이 있는지 생각해 봅시다.

   1) 어떤 기능이 있습니까?
   2) 그 기능이 갖는 장점 혹은 단점은 무엇입니까?
   3) SNS를 사용하면서 주의할 점은 무엇입니까?

- 방지하다
- 공개
- 기울이다

2. 다음과 같이 이야기해 보십시오.

예

가: SNS는 정보를 쉽게 공유할 수 있**다는 장점이 있습니다. 반면에** 사생활이 침해될 수도 있습니다.
나: 맞습니다. 사생활 침해를 방지하기 위해 자신의 정보 공개에도 주의를 기울여야 합니다.

읽기

※ 다음을 읽고 물음에 답해 보십시오.

- 논설
- 무한
- 마찬가지
- 올바르다
- 효과적
- 전문적
- 분야
- 최대한
- 신속하다
- 분석하다
- 가치
- 구슬이 서 말이라도 꿰어야 보배
- 가려내다

우리는 흔히 '바다'라고 하면 무한의 공간을 쉽게 떠올리고 그 속에서 생활에 필요한 많은 것을 얻을 수 있다고 생각한다. 인터넷도 이와 마찬가지이다. 쉽고 간단하게 많은 정보를 얻을 수 있다. 그래서 인터넷을 정보의 바다라고 한다.

인터넷은 수많은 정보 중에서 필요한 것을 골라 낼 수 있다는 점에서 다른 매체보다 편리하다. 그렇기 때문에 사람들은 정보 검색이라고 하면 인터넷 정보 검색을 떠올리게 된다. 그러나 인터넷의 모든 정보가 올바르고 자신에게 맞는 것은 아니다. 인터넷의 많은 정보 가운데 자신이 원하는 정보와 최신 정보를 효과적으로 찾아내어 이용할 수 있어야 한다.

전문적인 정보 검색 능력을 갖춘 '정보검색사'라는 직업도 있다. 정보검색사는 전 세계 인터넷 사이트를 검색하여 다양한 분야의 정보나 자료를 최대한 신속하게 찾아 고객에게 제공한다. 또한 단순한 정보를 분석하여 보다 더 가치 있는 정보를 새로 만들기도 한다.

'구슬이 서 말이라도 꿰어야 보배'라는 한국의 속담이 있다. 정보의 바다 속에서 불필요한 정보, 유용한 정보를 잘 가려내어 내 정보로 만드는 것이 앞으로 자신의 경쟁력이 될 것이다.

1. 밑줄 친 부분이 가리키는 말을 찾아 쓰십시오.

2. 위 글의 중심 생각을 고르십시오.

① 인터넷으로 간편하게 정보를 얻을 수 있다.
② 인터넷 검색을 통해 올바른 정보를 찾을 수 있다.
③ 인터넷을 이용해 정보를 찾아주는 직업은 가치가 있다.
④ 정보의 바다 속에서 꼭 필요한 정보를 가려낼 수 있어야 한다.

3. 이 글의 제목을 만들어 보십시오.

쓰기

※ 인터넷에 대해 글을 써 보십시오.

1. 인터넷의 장점과 단점에 대해 생각해 보십시오.

   1) 장점은 무엇입니까? 그 이유는 무엇입니까?
   2) 단점은 무엇입니까? 그 이유는 무엇입니까?

2. 생각한 내용을 바탕으로 개요를 완성해 보십시오.

처음	인터넷의 특징
중간	장점 – – 단점 – –
끝	주의 사항

3. 개요를 바탕으로 글을 써 보십시오.

문화 이해하기

- 달다
- 악성
- 댓글
- 심각하다
- 역기능
- 자살하다
- 계기
- 격려
- 근거
- 당사자
- 비판
- 우울증
- 형성되다

선플달기 운동

인터넷의 발달로 이전에는 생각하지 못했던 많은 일들이 인터넷을 통해 가능해졌다. 그러나 악성 댓글이나 인터넷 중독 등 심각한 역기능도 생겨났다. 특히 악성 댓글(악플)의 문제는 매우 심각한 수준인데 이는 서로 얼굴을 확인할 수 없는 인터넷의 특성 때문이다.

악성 댓글은 '소리 없는 총'으로 인터넷이 발달된 나라일수록 심각한 사회 문제라고 한다. 한국에서는 악성 댓글로 인해 유명 연예인이 자살하는 사건도 있었다. 이를 계기로 얼마 전부터 선플운동이 시작되었다. '선플운동'은 사람들에게 큰 고통과 피해를 주는 악플 대신 격려와 용기를 주는 댓글을 달자는 운동이다.

이 운동을 하는 목적은 다음과 같다. 첫 번째로 근거 없는 악플이 당사자들에게 얼마나 큰 고통과 피해를 주는지를 알게 하는 것이다. 인터넷 이용자들에게 건전한 비판은 필요하지만 근거 없는 악플은 우울증, 더 심하면 자살로 이어질 수 있다. 그 다음으로 선플달기 운동을 통해 아름다운 인터넷 문화를 가꾸어 나가자는 것이다. 실제로 한 게시글에 누가 선플을 달기 시작하면 분위기가 바뀌면서 선플달기가 계속 이어진다. 게다가 이를 시작으로 건전한 토론 문화가 형성되기도 한다. 이렇듯 선플달기 운동은 바르고 아름다운 언어 사용을 통해 생각과 행동을 바꾸는 정신 문화 운동이다.

※ 이야기해 보십시오.

1. 악플로 힘들어하는 사람에게 어떤 선플을 달아 주면 좋을지 생각해 봅시다.

표현

1. N(으)로

1) 이번 겨울에는 감기로 고생했다.

2) 그 사람은 퇴근 후에도 회사 일로 바쁘다.

M.E.M.O.

제14과 공공장소

준비하기 1
공공규칙 설명하기
N(으)로 인하다
V-(으)ㄴ/는 척하다, N인 척하다

준비하기 2
학교 규칙에 대해 경고하기
AV-아/어/여 대다
N조차

듣기
기내 수칙에 대한 안내 사항 듣기

말하기
설득하기

읽기
주장하는 글 읽기

쓰기
건의문 쓰기

문화 이해하기
각 나라의 공중화장실

금연구역
No Smoking

14 공공장소

준비하기1 353

공공규칙 설명하기

- 애완견
- 욕먹다
- 눈살(을) 찌푸리다
- 배설물
- 방치하다
- 과태료
- 배변
- 시설물
- 시선
- 미처
- 여럿이

자르갈: 이게 다 뭐예요?

아멜리: 공원에서 강아지와 산책할 때 챙겨야 할 게 얼마나 많은데요. 요즘 애완견으로 인해 공원에 가기를 꺼리는 사람도 있거든요. 주변 사람들에게 욕먹는 경우도 있대요.

자르갈: 하긴, 저도 얼마 전에 눈살을 찌푸린 적이 있어요. 글쎄, 자기 개의 배설물을 못 본 척하고 그냥 지나가더라고요.

아멜리: 애완견의 배설물을 방치하면 과태료도 내야 하는데……. 그래서 공원 같은 장소에 갈 때는 배변 봉투도 챙겨야 하고 타인의 안전을 위해 목줄도 꼭 매야 해요.

자르갈: 공원도 공공장소니까 서로를 위해 지켜야 할 것들은 지켜야지요. 애완동물 관리뿐만 아니라 시설물 사용이나 무분별한 애정 표현도 주의해야 해요.

아멜리: 애정 표현도요? 사랑을 표현하는 게 무슨 피해를 준다고 그래요?

자르갈: 한국에서는 공공장소에서 지나치게 애정을 표현하는 것을 좋지 않은 시선으로 보더라고요. 우리나라에서는 자연스럽다고 생각한 행동이 한국에서는 보기에 안 좋은 모습일 수도 있어요.

아멜리: 거기까지는 미처 생각하지 못했어요. 나 혼자가 아닌 여럿이 함께 사용하는 공간이라서 그런지 신경 쓸 게 정말 많네요.

1. N(으)로 인하다

: 앞의 명사를 원인으로 해서 뒤에 어떤 결과가 나옴을 나타낸다.

- 과로
- 지진

1) 가: 로빈 씨가 입원했다는 소식 들었어요?
   나: 네, 과로로 인해서 쓰러졌다면서요?
2) 가: 무슨 일로 늦었어요?
   나: 갑자기 내린 눈으로 인해 주변 교통이 마비돼 늦었어요.
3) 가: 그 가수가 갑자기 유명해진 이유가 뭐예요?
   나: 작년에 세계적으로 인기를 얻은 노래로 인해서 유명해졌지요.
4) 가: 지난해 큰 일이 많았죠?
   나: 맞아요. 지진으로 인한 큰 피해도 있었잖아요.
5) 가: 요즘 교통사고가 늘어난 원인이 무엇입니까?
   나: 최근 들어 졸음운전으로 인한 사고가 많아졌기 때문이라고 합니다.

2. V-(으)ㄴ/는 척하다, N인 척하다

: 어떤 행동을 거짓으로 비슷하게 꾸밈을 나타낸다.

- 한자리
- 곰

1) 가: 오랫동안 움직이지도 않고 한자리에 앉아서 정말 열심히 공부하는군요.
   나: 사실은 만화책을 보면서 공부하는 척했어요.
2) 가: 산에서 곰을 만나면 어떻게 해야 하는지 알아요?
   나: 어디에서 들었는데 죽은 척하고 엎드려 있으래요.
3) 가: 무슨 좋은 일이 있나 봐요?
   나: 사실은 기분이 나쁜데 일부러 좋은 척하는 거예요.
4) 가: 잘난 척하는 사람과는 가까이 지내고 싶지 않아요.
   나: 저도 그런 사람과는 어울리고 싶지 않아요.
5) 가: 말다툼 조금 했다고 아는 척도 안 하고 가는 거야?
   나: 미안해. 못 본 척한 게 아니고 정말 못 봤어.
6) 가: 저기 저 사람 부자인가요?
   나: 아니요, 저 사람은 부자도 아니면서 항상 부자인 척하고 돌아다니더라고요.

✔ V-(으)ㄴ/는 척하다 = V-(으)ㄴ/는 체하다

연습하기

1. 다음과 같이 이야기해 보십시오.

• 부주의
• 예방하다
• 냉방병
• 복구
• 개통
• 활성화

업무 / 사람들이 심한 스트레스를 받다
스트레스를 줄이다

가: 업무**로 인해서** 사람들이 심한 스트레스를 받**는다고 합니다.**
나: 스트레스를 줄이**기 위해 함께 노력해야겠습니다.**

1) 부주의 / 사람들이 큰 사고를 당하다
사고를 예방하다
2) 지나친 에어컨 사용 / 냉방병에 걸리다
냉방병을 막다
3) 폭우 / 입은 피해가 심각하다
피해 복구를 하다
4) 지하철 개통 / 서울에 가는 게 편해졌다
대중교통 활성화를 시키다
5) 한국 드라마 / 한국 문화가 알려졌다
한국 문화를 더욱더 알리다

2. 다음과 같이 이야기해 보십시오.

• 성의

어디 아프다
아침에 일어나기 싫다 / 아프다

가: 어디 아프**요?**
나: **아니요,** 아침에 일어나기 싫**어서** 아픈 **척한 거예요.**

1) 계속 공부했다
갑자기 어머니께서 방에 들어오시다 / 공부하다
2) 저 사람을 모르다
인사하고 싶지 않다 / 모르다
3) 아까 점심을 안 먹었다
먹었지만 사장님께서 점심을 함께 먹자고 하시다 / 안 먹었다
4) 많이 피곤하다
일하기 싫다 / 피곤하다
5) 그 선물이 마음에 들다
성의를 생각하다 / 마음에 들다

준비하기2 354

학교 규칙에 대해 경고하기

- 널리다
- 지정되다
- 통풍
- 숨
- 공공질서
- 어긋나다
- 행위
- 삼가다

선생님: 요즘 쉬는 시간이나 수업시간이나 할 것 없이 시끄럽게 떠들어 대는 사람들이 있어요.

자르갈: 맞아요. 교실도 모두가 함께 사용하는 공간인데 자기 집인 것처럼 행동하는 건 정말 보기 안 좋아요.

선생님: 조금씩만 양보하고 조심하면 서로 편하겠지요. 책상이나 벽에 낙서하는 행동이나 교실 바닥에 다 먹은 음료수 병을 아무렇게나 버리는 행동도 주의합시다. 수업이 끝난 후에 여기저기 널려 있는 쓰레기를 보면 여기가 교실인지 쓰레기장인지 헷갈릴 정도예요. 그뿐만 아니라 지정되지 않은 장소에서 담배를 피워 대는 사람이 있다는 소리도 들었어요. 여러분들도 알다시피 학교에는 흡연구역이 따로 정해져 있습니다.

메 이: 저도 복도 끝에 있는 계단에서 담배를 피우고 있는 사람을 본 적이 있어요. 통풍도 안 되는 구역이라 지나가다가 숨조차 쉬기 힘들었어요.

선생님: 내가 편하자고 다른 사람을 불편하게 하면 안 되겠죠? 학교는 모두가 함께 이용하는 공간이기 때문에 공공 예절을 꼭 지켜야 합니다. 앞으로 공공질서에 어긋나는 행위는 삼가도록 하세요.

발음 355

1. 'ㄹ'은 받침 'ㅁ, ㅇ' 뒤에서 [ㄴ]로 발음된다.

1) 다 먹은 음료수 병을 아무렇게나 버리지 맙시다.
2) 한국어 책의 종류가 아주 많네요.

2. 'ㄹ'은 받침 'ㄴ' 뒤에서 [ㄴ]로 발음된다.

1) 최근 쌀 생산량이 줄고 있어요.
2) 이제부터는 정신력 싸움이에요.

3. AV-아/어/여 대다

: 어떤 행동을 계속 반복함을 나타낸다. 주로 부정적인 상황에서 사용한다.

1) 가: 공공장소에서는 담배를 안 피웠으면 좋겠어요.

나: 맞아요. 아무 데서나 담배를 피워 대는 사람들은 정말 이해할 수 없어요.

2) 가: 스트레스로 인해서 음식을 먹어 대는 사람이 많다고 해요.

나: 그렇게 하면 살이 쪄서 더 큰 스트레스가 될 텐데…….

3) 가: 밤늦게 누구한테 계속 전화해 대니?

나: 과제 때문에 상의를 좀 하느라고 그래요. 빨리 끊을게요.

4) 가: 어제 마트에서 아이가 엄마에게 장난감을 사 달라고 졸라 대는데 엄마는 끝까지 안 사주더라고요.

나: 같은 장난감이 집에 있었던 게 아닐까요?

5) 가: 새 학기를 시작하며 이것저것 사 댔더니 돈이 없어요.

나: 그러니까 꼭 필요한 물건만 사라고 했잖아요.

• 설마
• 속이다
• 고의

4. N조차

: 일반적으로 예상하기 어렵고 유지되기 힘든 경우까지 포함함을 나타낸다.

1) 가: 이번 시험이 그렇게 어려웠어요?

나: 너무 어려워서 우리 반 1등조차 합격하지 못했대요.

2) 가: 그 일 진짜 네가 한 일이야?

나: 설마 너조차 나를 못 믿는 거니?

3) 가: 네가 날 속일 줄은 상상조차 못 했어.

나: 고의가 아니었어. 정말 미안해.

4) 가: 그 사람과 오랫동안 얘기를 하던데 친한 사이예요?

나: 아니요, 그 사람이 어디에서 왔는지조차 몰라요.

5) 가: 그 사람이 그런 비밀이 있을 줄 전혀 몰랐어요.

나: 그런 말은 자식에게조차 할 수 없었을 거예요.

✓ AV-(으)ㄹ 수조차 없다

목이 아파서 물을 마실 수조차 없다.

연습하기

1. 다음과 같이 이야기해 보십시오.

힘들다
옆집 사람들 / 떠들다 / 잠을 못 잤다
가: 힘들**어 보이는데 무슨 일 있어요?**
나: 옆집 사람들**이 하도** 떠들**어 대서** 잠을 못 잤**거든요.**

1) 안색이 안 좋다
친구들 / 술을 먹이다 / 주량보다 많이 마셨다
2) 넋이 나간 것 같다
저 사람들 / 서로 잘못이 없다고 우기다 / 집에 못 가고 있다
3) 기분이 안 좋다
다른 사람들 / 손가락질을 하다 / 마음이 상했다
4) 지치다
아이 / 새벽부터 놀아 달라고 조르다 / 잠도 못 자고 놀아 줬다
5) 피곤하다
동생 / 방을 어지르다 / 혼자 치웠다

- 주량
- 넋
- 우기다
- 손가락질
- 조르다
- 어지르다

2. 다음과 같이 이야기해 보십시오.

저 사람은 항상 학교에 있다 / 혹시 알다
아니요, 저는 본 적 / 없다
가: 저 사람은 항상 학교에 있**던데** 혹시 알**아요?**
나: 아니요, 저는 본 적**조차** 없**어요.**

1) 오늘이 방 친구의 생일이다 / 알고 있었다
아니요, 생각 / 못 했다
2) 요즘 안색이 안 좋다 / 무슨 일이 있다
요즘 피곤해서 눈 / 뜰 수 없다
3) 지인이 돌아가셨다고 하다 / 괜찮다
아니요, 너무 슬퍼서 말 / 할 수 없다
4) 저 사람이랑 같이 앉아 있다 / 친하다
아니요, 누구인지 / 모르다
5) 요즘 피곤해 보이다 / 오늘은 집에서 쉬는 게 어떻다
요즘은 일이 너무 많아서 집에서 / 쉬지 못하다

- 지인

듣기 356

기내 안전 수칙에 대한 안내 사항 듣기

- 테이블
- 원위치
- 갑작스럽다
- 난기류
- 기체
- 이착륙
- 착용하다
- 깜빡하다
- 가리개
- 부시다

※ 다음을 잘 듣고 물음에 답해 보십시오.

1. 손님이 이어서 할 행동으로 알맞은 것을 고르십시오.

① 편안한 이륙을 위해 잠을 잔다.
② 자리에 앉아서 안전벨트를 맨다.
③ 안전을 위해 창문 가리개를 내린다.
④ 앉아 있는 의자의 등받이를 바로 한다.

2. 들은 내용과 일치하지 않는 것을 고르십시오.

① 현재 비행기가 하늘에서 내려오는 중이다.
② 안전을 위해서 승객은 자리에 앉아 있어야 한다.
③ 남자는 짐을 정리하다가 안전벨트 매는 것을 잊었다.
④ 난기류 때문에 이착륙 시에 기체가 흔들릴 수 있다.

말하기

설득하기

※ 공공장소 규칙에 대해 이야기해 보십시오.

1. 공공장소 내 흡연에 대해 생각해 봅시다.

   1) 공공장소 내 흡연을 찬성하십니까?
   2) 그 이유는 무엇입니까?

2. 다음과 같이 이야기해 보십시오.

예

저는 공공장소 내 흡연을 반대합니다. **그 이유는** 공공장소는 함께 사용하는 공간이**기 때문입니다. 게다가** 흡연은 담배 연기를 싫어하는 사람에게 피해를 주는 행동입니다. 찬성하**는 사람들은** 이것이 흡연을 안 하는 사람들만 배려하는 것이라고 합니다. **하지만** 흡연으로 인해 모두의 건강을 해치**기 때문에 옳지 않은 주장이라고 생각합니다.**

• 해치다

읽기

※ 다음을 읽고 물음에 답해 보십시오.

최근 정부는 공중 이용 시설 금연 정책을 시행하고 있다. 공중 이용 시설 금연 정책 시행 한 달이 지난 지금, 포털 사이트의 토론 게시판에서는 "단속을 강화해야 한다"는 의견과 "실제로 효과가 있을지 모르겠다"는 의견으로 나뉘어 토론을 벌이고 있다.

닉네임 '오솔길'은 "흡연은 개인의 선택인 만큼 흡연하지 않는 사람들이 피해를 입는 일이 없어야 한다. 단속을 강화해서 공중 이용 시설 내 흡연 행위를 강하게 처벌해야 한다"고 하며 이번 금연 정책에 대해 찬성 의사를 밝혔다. 닉네임 '사과나무'도 "PC방이나 음식점 등 장사하는 사람들은 먹고 사는 데 문제가 된다며 예외를 인정해 달라고 하는 경우가 있는데 이것은 타인의 권리를 무시하는 말이다. OECD에 따르면, 한국의 흡연율은 20% 정도밖에 안 되는데 이 사람들을 위해서 나머지 80%가 원하지 않는 고통을 겪는다고 한다. 금연 정책은 비흡연자뿐만 아니라 흡연자들의 건강을 지키기 위한 국가의 책임 있는 행동이다"라고 하며 찬성 의견을 밝혔다.

반면, 음식점을 운영 중인 닉네임 '가시버시'는 "식당이 금연 구역으로 지정되면서 손님이 30% 이상 줄어들어 매출을 위해 어쩔 수 없이 종이컵을 준비해 재떨이로 사용하거나 몰래 흡연하는 손님들을 모르는 척할 수밖에 없다"고 하며 이번 금연 정책에 반대 입장을 밝혔다. 흡연자라고 밝힌 닉네임 '유유자적'도 "피시방과 같은 공중이용시설은 업주 스스로 흡연 피시방과 금연 피시방으로 선택하여 개업하게 하고 최종 선택은 이용자가 판단하도록 해야 한다"고 하며 공중 이용 시설 금연 정책에 대한 반대 입장을 밝혔다.

아직까지 양쪽 주장 모두 서로를 설득하지 못한 채 팽팽하게 맞서고 있다. 공중 이용 시설은 모두를 위한 공간이다. 조금씩 양보하는 마음을 갖고 서로를 이해하며 타협점을 찾아가야 할 것이다.

- 공중
- 정책
- 시행하다
- 포털
- 단속
- 강화하다
- 나뉘다
- 닉네임
- 찬성
- 의사
- 밝히다
- 예외
- 인정하다
- 권리
- 무시
- 흡연율
- 비흡연자
- 책임
- 줄어들다
- 매출
- 종이컵
- 재떨이
- 입장
- 업주
- 팽팽하다
- 맞서다
- 타협점

1. 이 글의 특징으로 맞는 것을 고르십시오.

① 문제점을 지적하며 분석한다.
② 토론의 필요성에 대해 설명한다.
③ 근거를 들어 상대의 의견을 반대하고 있다.
④ 여러 사람의 의견을 예시를 통해 전달하고 있다.

• 전달하다
• 필자
• 열띠다

2. 필자의 입장으로 알맞은 것을 고르십시오.

① 금연 정책은 흡연자와 비흡연자를 포함한 모두를 위한 것이다.
② 공공장소는 모두를 위한 공간이므로 흡연을 금지해야 한다.
③ 금연 구역을 정하여 흡연율을 낮춰야 한다.
④ 서로 이해하고 합의를 이루어야 한다.

3. 이 글의 내용과 다른 것을 고르십시오.

① 한국의 흡연 인구는 80%에 이른다.
② 최근 금연 정책에 대한 열띤 토론이 이루어지고 있다.
③ 공공장소에서의 금연 정책이 최근에 시행되기 시작했다.
④ 금연구역의 지정으로 인해 손님이 줄어든 식당도 있다.

쓰기

건의문 쓰기

- 건의하다
- 민망하다
- 펼치다
- 공중도덕

※ 인터넷 게시판에 건의하는 글을 써 보십시오.

1. 이웃에게 피해를 주는 행동에 대해 생각해 보십시오.

   1) 어떤 행동이 이웃에게 피해가 됩니까?

   2) 어떤 해결 방법이 있습니까?

2. 생각한 내용을 바탕으로 개요를 완성해 보십시오.

처음	(글을 쓰게 된 동기) 저는 ____________에 사는 ______________________입니다. ___________________아 / 어 / 여서 이 글을 쓰게 되었습니다.
중간	
끝	(바라는 점) _______________________________________(으)면 좋겠습니다.

3. 개요를 바탕으로 다음과 같이 글을 써 보십시오.

예

안녕하세요? 저는 매일 주안역에서 지하철을 타고 출퇴근하는 인천시민입니다. 함께 사용하는 지하철 안에서 옆 사람에게 피해주는 행동을 해 대는 사람들을 종종 볼 수 있습니다. '그냥 모르는 척해야지'라고 생각만 하다가 결국 이렇게 글을 쓰게 되었습니다.

매일 '지옥철'을 타고 출퇴근하는 직장인들이 아침저녁으로 피곤한 건 알겠지만 자리에 앉아 있을 때 다리를 너무 벌리고 앉지 말아 주세요. 옆에 빈자리가 있어도 앉기가 불편하고 그 앞에서 있기조차 민망하고 힘듭니다. 조금만 신경을 써서 다리를 모으고 앉으면 서로가 편하지 않을까요? 그리고 사람이 너무 많아 움직일 수조차 없는 공간에서 책이나 신문을 보는 사람들도 있습니다. 책이나 신문을 보는 것이 잘못됐다는 것은 아닙니다. 다만 다른 사람을 조금 더 배려해서 크게 펼쳐 보지 말았으면 좋겠습니다.

함께 사용하는 공간인 지하철에서 서로에게 불편한 일이 생기지 않도록 너나없이 공중도덕을 잘 지켰으면 좋겠습니다.

문화 이해하기

각 나라의 공중화장실

… 이 나라에 처음 도착했을 때부터 당황했던 일들이 많았는데 그 중에서 가장 기억에 남는 게 사람들이 화장실에서도 말을 한다는 것이다. 우리나라 사람들은 화장실은 아주 더러운 곳이라고 생각하기 때문에 화장실에서 말을 한마디도 하지 않는다. 그리고 우리나라 문화에 따르면 다른 사람의 얼굴을 보지 않고 말을 한마디라도 하면 안 된다. 그래서 공중화장실에 갔을 때 큰 충격을 받았다. …

… 대부분의 공중화장실 변기 옆에는 항상 휴지통이 놓여 있었다. 어떤 곳에는 휴지통에 뚜껑도 없었다. 내 생각에는 조금 비위생적인 것 같은데 이 나라 사람들은 왜 이렇게 해 놨을까 고민해 봤지만 이해하기 힘들었다. …

… 사람이 많은 관광지였지만 공중화장실을 찾기가 힘들었다. 우여곡절 끝에 찾은 공중화장실은 유료였다. 너무 급해서 일단 돈을 내고 사용하기는 했는데 돈이 아깝다는 생각이 들었다. …

… 산책을 하다가 우연히 집 근처 공원에 있는 화장실을 보게 되었다. 큰 자전거 모양으로 꾸며 놓은 외관만 보고서는 화장실인지 몰랐다. 안으로 들어가 보니 조용한 음악이 나오고 있고 관리가 아주 잘 되어 있어 깨끗하고 좋았다. 어느 휴게실 화장실에 가면 커피를 마시고 싶을 정도라는 말을 듣고 의심했었는데 이곳을 보고 가능할 수도 있겠다는 생각을 했다. …

- 충격
- 변기
- 비위생적
- 우여곡절
- 유료
- 외관

※ 이야기해 보십시오.

1. 각 나라의 공중화장실의 특징을 이야기해 봅시다.

2. 자신이 경험한 가장 좋은 화장실을 소개해 봅시다.

제15과 주거 생활

준비하기 1
집에 대한 정보 구하기
AV-게 하다
N(이)라도

준비하기 2
이사에 대한 조언 구하기
AV-(으)려야
AV-곤 하다

듣기
살고 있는 집의 장단점 서술 듣기

말하기
살고 있는 집 소개하기

읽기
한국의 주거 형태에 대한 설명문 읽기

쓰기
살고 싶은 집 묘사하기

문화 이해하기
한옥

한빛교회

15 주거 생활

준비하기1 357

집에 대한 정보 구하기

- 계약
- 부동산
- 중개사
- 차근차근
- 임대
- 접속하다
- 원룸
- 오피스텔
- 주거
- 형태
- 매매
- 시세
- 개발
- 공해
- 분류

메 이: 두 달 후면 집 계약이 끝나서 이사를 가야 하는데 어떻게 집을 구해야 할지 잘 모르겠어요.

박지성: 두 달 후에 계약이 끝난다고요? 그러면 이사 갈 집을 빨리 알아봐야 할걸요. 부동산 중개사 사무소에는 가 봤어요?

메 이: 아니요, 주말에 가려고 했는데 시간이 없었어요. 선생님께서 매일 많은 숙제를 내주셔서 저를 주말까지 도서관에서 살게 하시네요. 지난 주말에도 도서관에서 하루 종일 시간을 보냈거든요. 시간은 없고 이사 갈 준비는 해야 하고 정말 걱정이에요.

박지성: 너무 부담 갖지 말고 차근차근 이사 계획을 세워 보세요. 집을 구하려면 먼저 이사 갈 지역을 결정한 후 그 지역에 있는 부동산 중개소를 찾아가서 괜찮은 집이 나왔는지 확인해야 돼요. 집을 살 건지 아니면 전세나 월세로 임대를 받을 건지도 잘 알아봐야 하고요.

메 이: 인터넷으로 집을 구할 수는 없나요? 직접 가서 알아볼 시간도 없고 한국의 집에 대해서 잘 몰라서요.

박지성: 당연히 인터넷으로도 집을 구할 수 있지요. 인터넷에서 지역명과 전세, 월세를 입력하면 그 지역 모든 부동산 사이트에 접속할 수 있어요. 부동산 사이트에 들어가면 아파트, 빌라, 원룸, 오피스텔 등 다양한 주거 형태에 따른 매매 가격과 전월세 가격이 나와 있어요.

메 이: 그럼 먼저 인터넷으로 알아본 다음에 부동산 중개소에 직접 찾아가 봐야 되겠네요.

박지성: 요즘 원룸이나 오피스텔은 시세가 좀 비싼 편이지만 가구나 가전제품 등이 갖추어져 있어서 학생들이 살기에 편리해요.

메 이: 휴. 집을 구한다는 게 정말 쉽지 않네요. 지금이라도 빨리 알아봐야겠어요.

표현

1. N_1에 따른 N_2

1) 개발에 따른 공해 문제가 심각하다.

2) 사용 목적에 따른 분류

1. AV-게 하다

: 다른 사람에게 어떤 일을 하도록 시킴을 나타낸다.

1) 가: 친구랑 왜 싸웠어요?
   나: 날도 추운데 저를 밖에서 두 시간이나 기다리게 했거든요.

2) 가: 아이가 방에서 만화영화만 보려고 해요.
   나: 가능하면 낮에는 아이에게 집에 있지 말고 밖에서 놀게 하세요.

3) 가: 교실에서는 한국어만 사용해야 돼요?
   나: 네, 선생님께서 한국어 외에는 다른 말을 사용하지 못하게 하세요.

4) 가: 모임에 지각하는 회원들에게 벌금을 내게 했더니 회원들이 지각을 하지 않아요.
   나: 돈이 무섭긴 하네요.

5) 가: 할아버지가 많이 편찮으세요?
   나: 네, 죽을 좀 드시게 했는데 그것도 잘 못 삼킬 정도로 편찮으세요.

✓ DV-게 하다

1) 그의 따뜻한 말 한마디가 나를 행복하게 했다.

2) 그의 날카로운 말은 내 마음을 아프게 했다.

3) 예술은 우리의 생활을 풍요롭게 한다.

- 만화영화
- 삼키다
- 풍요롭다

2. N(이)라도

: 마음에 들지 않으나 그런대로 괜찮음을 나타낸다.

1) 가: 밥이 있는 줄 알았는데 없네.
   나: 배고프니까 라면이라도 끓여 먹자.

2) 가: 박지성 씨는 돈이 많잖아요.
   나: 제가 돈이 많다고요? 돈 냄새라도 맡아 봤으면 좋겠네요.

3) 가: 열심히 노력하는 모습이 정말 보기 좋아요.
   나: 머리가 나쁘니까 노력이라도 해야지요.

4) 가: 다음 주가 시험인데 공부하는 척이라도 좀 해라.
   나: 너무 하기 싫은데 어떡해.

5) 가: 오전에 아르바이트가 있어서 못 갈 것 같아요.
   나: 늦게라도 좋으니까 꼭 오세요.

6) 가: 감기가 너무 심한데 병원에 갈 시간이 없어요.
   나: 그럼 약국에라도 가세요.

연습하기

1. 다음과 같이 이야기해 보십시오.

> **남자 친구를 많이 좋아하다**
> **그 사람은 언제나 나 / 웃다**
> 가: 남자 친구를 많이 좋아하**나 보네요.**
> 나: **네,** 그 사람은 언제나 나**를 웃게 하거든요.**

1) 뒷좌석에서도 안전벨트를 매다
   안전을 위해 꼭 안전벨트 / 매다
2) 남편의 어렸을 적 모습이 많이 궁금하다
   남편이 어렸을 때 찍은 사진 / 못 보다
3) 메이 씨는 항상 건강을 생각하며 먹다
   고향에 있을 때 어머니께서 항상 건강에 좋은 음식 / 먹었다
4) 그 사람에게 화가 많이 났다
   그 사람이 제 친구 / 다쳤다
5) 오늘은 자르갈 씨가 밥값을 다 계산하다
   모임에 늦게 온 사람에게 밥값 / 냈다

2. 다음과 같이 이야기해 보십시오.

• 딱히

> **너무 바빠서 잘 시간이 없다**
> **잠깐 / 눈을 붙이다**
> 가: 너무 바빠서 잘 시간이 없**어요.**
> 나: 잠깐**이라도** 눈을 붙이**세요.**

1) 오늘 딱히 할 일이 없다
   할 일이 없으면 책 / 읽다
2) 주말에 저는 못 갈 것 같다
   못 오게 되면 연락 / 주다
3) 깜빡하고 생일 선물을 준비하지 못했다
   그럼 노래 / 불러 주다
4) 부모님과 연락이 안 돼서 걱정이다
   동생 / 연락해 보다
5) 내일 오전까지 보고서 제출을 못할 것 같다
   오후 / 제출하다

준비하기2 358

이사에 대한 조언 구하기

- 이삿짐센터
- 알리다
- 팥
- 시루떡
- 물리치다

메 이: 드디어 다음 주에 이사를 가요. 학교와 많이 가까워져서 정말 좋아요.

박지성: 잘 됐네요. 이사 갈 집은 어떤 집이에요?

메 이: 원룸이라서 방이 작기는 하지만 가구와 가전제품들이 갖추어져 있어서 편리할 것 같아요. 그런데 제 짐들과 몇 가지 가구들을 어떻게 옮겨야 할지 고민이 돼요. 친구가 도와주기로 했지만 둘이서 하려야 할 수가 없을 것 같아요.

박지성: 포장 이사를 하는 게 어때요? 포장 이사를 하게 되면 이삿짐센터에서 짐을 포장해 주기 때문에 아주 편해요. 이삿짐센터에 전화를 해서 포장 이사와 일반 이사에 대해서 물어 보고 가격도 알아보세요.

메 이: 아, 포장이사를 하게 되면 제가 따로 상자를 구해서 이삿짐을 싸지 않아도 되는 거예요? 정말 편하겠네요.

박지성: 네, 비싸기는 해도 짐이 많으면 포장 이사가 편하지요.

메 이: 그런데 이사를 하고 나서 주변 이웃들에게는 어떻게 인사를 해야 하지요?

박지성: 보통 이사 떡을 이웃들에게 돌리면서 이사 온 것을 알리면 돼요.

메 이: 이사 떡이요? 그게 뭐예요?

박지성: 옛날 사람들은 팥으로 만든 시루떡을 이웃들에게 나누어 주었는데 팥의 붉은 색이 나쁜 기운을 물리쳐 준다고 해서 시루떡을 돌리곤 했대요.

메 이: 그럼 시루떡을 준비해서 앞집에 한번 찾아가 봐야겠네요.

발음 359

1. 받침소리 [ㄷ]은 'ㄴ'이나 'ㅁ' 앞에서 [ㄴ]으로 발음된다.

1) 잘 됐네요.

2) 거짓말하지 마세요.

- 괘씸하다
- 의논
- 엄하다
- 제대로

3. AV-(으)려야

: 어떤 행동을 하려고 하는 생각이 있지만 그렇게 할 수 없음을 나타낸다.

1) 가: 좀 참지 그랬어요?
   나: 믿었던 사람이 거짓말을 한 게 너무 괘씸해서 참으려야 참을 수가 있어야지요.
2) 가: 영화 주인공이 어땠어요?
   나: 너무 멋있어서 영화 보는 내내 눈을 떼려야 뗄 수가 없었어요.
3) 가: 왜 문제가 생겼을 때 주변 사람들과 의논을 하지 않았어요?
   나: 외국에서 살다 보니까 의논을 하려야 의논할 사람이 없었어요.
4) 가: 수업 시간에 졸지 말고 잘 들으세요.
   나: 선생님이 너무 엄하셔서 졸려야 졸 수가 없어요.
5) 가: 왜 그렇게 감기가 안 떨어져요?
   나: 제대로 쉬지를 못하니까 감기가 나으려야 나을 수가 없어요.

- 버릇
- 더듬다

4. AV-곤 하다

: 어떤 행동이 반복됨을 나타낸다.

1) 가: 퇴근한 후에 보통 뭐 하세요?
   나: 체육관에 들러서 운동을 하곤 해요.
2) 가: 화가 날 때는 어떻게 하세요?
   나: 혼자 조용히 음악을 듣곤 해요.
3) 가: 요즘도 아이들이 책을 많이 읽어요?
   나: 아이들이 시간이 나면 책을 읽곤 하더니 요즘에는 통 안 읽네요.
4) 가: 고향 친구들과 자주 연락해요?
   나: 처음 한국에 왔을 때는 친구들과 연락을 자주 하곤 했는데 지금은 거의 안 해요.
5) 가: 예전에 혹시 나쁜 버릇이 있었어요?
   나: 어렸을 때는 긴장하면 말을 더듬곤 했어요. 하지만 지금은 그 버릇이 없어졌어요.

연습하기

1. 다음과 같이 이야기해 보십시오.

아직도 그 회사에 다니다
요즘 경기가 안 좋다 / 일을 그만 두다
가: 아직도 그 회사에 다녀**요?**
나: 요즘 경기가 안 좋**아서** 일을 그만두**려야** 그만둘 **수가 없어요.**

1) 밤새 밖에서 기다렸다
문이 잠기다 / 들어가다
2) 밤에 잠을 못 자다
요즘 너무 덥다 / 잠을 자다
3) 주말에는 지하철에 자리가 없다
사람이 많다 / 자리에 앉다
4) 뉴스를 안 듣다
뉴스는 너무 어렵다 / 듣다
5) 그 사람에게 왜 일을 맡기지 않다
그 사람은 번번이 마감 날짜를 지키지 않다 / 믿다

• 잠기다
• 번번이

2. 다음과 같이 이야기해 보십시오.

쉬는 날에는 뭐하다
혼자 극장에 가다
가: 쉬는 날에는 뭐해**요?**
나: 혼자 극장에 가**곤 해요.**

1) 기분이 우울할 때는 뭐하다
음악을 들으면서 잠을 청하다
2) 주말이면 뭐하다
친구들과 자전거를 타다
3) 고향 생각이 날 때는 뭐하다
고향 음식을 만들어 먹다
4) 그곳을 잘 알다
예전에 그곳에 자주 갔다
5) 그 친구와 친하다
지난 학기에 같은 반이어서 매일 숙제를 같이 했다
6) 고등학교에 다닐 때 시험이 끝나면 무엇을 했다
노래방에서 노래를 불렀다

• 청하다

듣기 360

- 방음
- 처리
- 관리비
- 가스비
- 가급적
- 난방
- 겹

※ 다음을 잘 듣고 물음에 답해 보십시오.

1. 로빈 씨가 이사를 가려고 계획을 했지만 가지 못하는 이유를 고르십시오.

① 주거 환경이 깨끗해서
② 교통편이 많고 편해서
③ 계약 기간이 남아서
④ 월세가 저렴해서

2. 잘 듣고 연결해 보십시오.

1) 흐엉 씨 집의 장점 •
2) 로빈 씨 집의 장점 •
3) 흐엉 씨 집의 단점 •
4) 로빈 씨 집의 단점 •

• ㉠ 쇼핑몰이 있어서 생활하기가 편리하다.
• ㉡ 공원이 있어서 산책도 자주 하고 환경도 깨끗하다.
• ㉢ 지하철이 바로 연결되어 있어서 교통이 편리하다
• ㉣ 월세가 싸고 관리비가 없다.
• ㉤ 옆에 도로가 있어서 먼지가 많이 들어온다.
• ㉥ 방음 처리가 잘 안 돼서 시끄럽다.
• ㉦ 대형 마트가 없어서 차를 타고 나가야 한다.
• ㉧ 관리비가 따로 있고 가스비도 너무 비싸다.

말하기

살고 있는 집 소개하기

※ 지금 살고 있는 집에 대해 이야기해 보십시오.

• 내부

1. 아래 내용에 대해 생각해 봅시다.

1) 집의 종류, 크기, 내부 시설물이 어떻습니까?
2) 어떤 점이 편리하고 어떤 점이 불편합니까?
3) 주변 환경과 교통편은 어떻습니까?
4) 더 소개하고 싶은 것에는 어떤 것이 있습니까?

2. 듣기 내용과 같이 이야기해 봅시다.

읽기

한국의 주거 형태에 대한 설명문 읽기

※ 다음을 읽고 물음에 답해 보십시오.

- 단독주택
- 공동주택
- 가구
- 독립하다
- 취향
- 자연적
- 보안
- 연립주택
- 다세대주택

한국의 주거 형태는 크게 단독주택과 공동주택으로 나눌 수 있다. 단독주택은 한 가구가 독립하여 살 수 있는 집이다. 한 건물에 한 가구만 살기 때문에 개인의 취향에 맞게 주거 계획을 세울 수 있는 장점이 있다. 게다가 자유롭게 집을 꾸밀 수 있으며 정원을 만들어서 자연적인 아름다움을 나타낼 수도 있다. 반면에 집을 관리하는 것이 쉽지 않으며 보안 문제가 발생하는 경우가 많아 문제가 되기도 한다.

단독주택과 달리 한 건물을 여러 집이 공동으로 사용하는 주택을 공동주택이라고 하는데 각 집마다 독립된 생활이 가능한 구조이다. 공동주택의 가장 대표적인 형태는 아파트이며 이외에 연립주택과 다세대주택도 있다. 공동주택은 단독주택에 비해 안전하고 관리하기도 편하다. 그러나 공동생활로 인한 소음, 주차 문제 등이 종종 발생하곤 한다. 이러한 크고 작은 문제로 이웃과의 다툼이 있지만 공공 시설물도 유용하게 이용할 수 있는 데다가 교통이 편리해 많은 사람들이 공동주택을 선호한다.

주거 형태에 따라 각각 장점과 단점이 있다. 어떤 집에서 살아야 편하고 좋을까? 무엇보다 중요한 것은 자신의 생활 방식에 맞는 형태의 집에서 사는 것이다.

1. 단독주택에 대한 설명으로 맞는 것을 고르십시오.

① 한 집에 여러 가구가 살 수 있는 독립된 공간이 있다.
② 자기가 하고 싶은 방향에 맞게 집을 꾸밀 수 있다.
③ 집을 관리하기가 어렵지 않아 선호하는 사람이 많다.
④ 보안에 문제가 거의 생기지 않는 안전함이 특징이다.

2. 사람들이 공동주택을 선호하는 이유로 맞는 것을 고르십시오.

① 여러 집이 함께 살기 때문에
② 놀이터와 공원이 많기 때문에
③ 대중교통 사용이 편하기 때문에
④ 이웃의 소리를 들을 수 있기 때문에

쓰기

살고 싶은 집 묘사하기

※ 살고 싶은 집에 대해 글을 써 보십시오.

1. 여러분이 건축가라면 어떤 집을 짓고 싶은지 생각해 보십시오.

   1) 어떤 주거 형태의 집을 짓고 싶습니까?
   2) 이런 집을 짓고 싶은 이유는 무엇입니까?
   3) 어떤 재료를 사용하고 싶습니까?
   4) 어떤 구조로 만들고 싶습니까?
   5) 이 외에 무엇을 더 추가하고 싶습니까?

- 구조
- 추가하다

2. 생각한 내용을 바탕으로 개요를 완성해 보십시오.

처음	사람들은 누구나 꿈꾸는 집이 있다.
중간	내가 살고 싶은 집은
끝	언젠가 내가 꿈꾸는 집에서 살기를 기대해 본다.

3. 개요를 바탕으로 글을 써 보십시오.

문화 이해하기

- 마루
- 온돌
- 생활공간
- 방바닥
- 고유
- 난방법
- 때다
- 아궁이
- 굴뚝
- 효율
- 연료
- 손질
- 일정하다
- 장판
- 띄우다
- 취침
- 뒷마당
- 노동
- 북부
- 배열하다
- 지혜

한옥

한옥은 한국의 전통 가옥으로 한국의 기후에 맞게 발달된 집을 말한다. 한옥은 더위와 추위를 동시에 해결하기 위해 마루와 온돌을 활용하여 만든 한국만의 독특한 생활공간이다.

온돌은 뜨거운 열로 방바닥을 따뜻하게 만드는 한국 고유의 난방법이다. 방바닥에 불을 때기 위하여 만든 구멍을 아궁이라고 하는데, 이 아궁이에 불을 때면 뜨거운 열이 방 밑을 지나가면서 방바닥을 데워 방 전체의 온도를 높여 준다. 이 때 생기는 연기는 굴뚝으로 빠져 나간다. 따라서 열의 효율이 좋고 연료나 시설 등의 비용을 아낄 수 있다. 또한 고장이 별로 없을 뿐만 아니라 복잡한 손질도 필요 없어 전국에서 널리 사용되었다. 그러나 온돌은 방을 따뜻하게 하는 데에 걸리는 시간이 길다는 단점이 있다. 게다가 온도를 일정하게 유지하기가 어려워 장판이 타는 일도 종종 있었다.

한옥의 또 다른 특징인 마루는 나무로 만들어진 바닥을 말한다. 마루는 바닥과 사이를 띄우고 넓게 만드는 게 특징이다. 날씨가 더워지면 안방에서 하던 식사를 주로 마루에서 하였으며 취침도 마루에서 하곤 했다. 여름에는 뒷마당의 찬 공기가 마루로 들어와 더욱 시원하게 보낼 수 있었다. 그래서 더운 여름에는 마루가 취침, 노동, 여가, 독서 활동 등 일상생활의 중심 공간이 되기도 했다.

한옥의 구조는 지방에 따라 조금씩 다르다. 가장 추운 북부 지방에서는 추위를 막고 내부의 열을 유지하기 위해 'ㅁ'자 형태로 집을 지었다. 반면에 따뜻한 남부 지방에서는 바람이 잘 통하도록 방을 한 줄로 배열하고 마루를 넓게 사용하는 'ㅡ'자 구조가 발달했다.

한옥을 통하여 에어컨도, 보일러도 없던 시절에 집 하나로 더위와 추위를 피했던 우리 조상들의 지혜를 엿볼 수 있다.

※ 이야기해 보십시오.

1. 한옥의 특징에 대해 이야기해 봅시다.

2. 한국의 전통 가옥과 여러분 나라의 전통 가옥이 어떻게 다른지 그 특징을 비교하여 이야기해 봅시다. (냉난방, 모양, 재료, 특징 등)

M.E.M.O.

제16과 법과 도덕

준비하기 1
쓰레기 배출 방법 설명하기
V-(으)ㄴ/는 셈이다, N(이)ㄴ 셈이다
AV-(으)ㄴ/는/(으)ㄹ 셈 치다, N(이)ㄴ 셈 치다
V-(으)ㄴ/는 대로[2], N대로

준비하기 2
아파트 주거 규칙 소개하기
V-(으)ㄴ/는/(으)ㄹ 만큼, N만큼
사동

듣기
라디오 사연 듣기

말하기
상황에 따른 의견 제시하기

읽기
상황윤리에 대해 문제 제기하기

쓰기
논리적으로 주장하기

문화 이해하기
양심을 법으로

16 법과 도덕

준비하기1 361

쓰레기 배출 방법 설명하기

- 분리하다
- 재활용

박지성: 메이 씨, 어디에 가세요?

메　이: 쓰레기 버리러 가고 있어요. 지성 씨는요?

박지성: 저는 쓰레기를 분리하고 있어요. 잠깐만요. 메이 씨, 이 봉투 안에 쓰레기가 있는 거예요?

메　이: 네, 쓰레기는 아무 봉투에나 담아서 버려도 되잖아요.

박지성: 메이 씨, 쓰레기를 그렇게 버리면 안 돼요.

메　이: 왜요?

박지성: 한국에서는 쓰레기를 버릴 때 따로 쓰레기봉투를 사도록 하고 있어요. 그래서 일반 쓰레기는 내가 산 쓰레기봉투에 넣어서 버려야 해요.

메　이: 쓰레기를 버릴 때 돈을 내는 셈이네요. 쓰레기봉투만 사서 버리면 되나요?

박지성: 일반 쓰레기는 봉투를 사서 이용하면 되고 재활용할 수 있는 것은 따로 모았다가 분리해서 버려야 해요. 음식물 쓰레기도 일반 쓰레기와 나누어서 버려야 해요.

메　이: 음식물 쓰레기는 어떻게 버려야 하는데요?

박지성: 음식물 쓰레기는 음식물 쓰레기봉투를 사서 잘 담아 놓았다가 지정된 음식물 쓰레기통에 넣으면 돼요. 저기에 음식물 쓰레기통 보이죠? 하지만 모든 음식물을 다 넣는 것이 아니라 생선 가시나 계란 껍질 등은 일반 쓰레기봉투에 넣어서 버려야 해요.

메　이: 정말 복잡하네요. 지성 씨 말대로 해 볼게요. 제가 잘할 수 있겠죠?

박지성: 방법만 알면 쉬우니까 걱정 마세요. 공부하는 셈 치고 몇 번만 해 보면 금방 익숙해질 거예요.

표현

1. 아무 N(이)나

1) 가: 주말에 어디에 가고 싶어요?
   나: 자르갈 씨가 정하세요. 저는 아무 데나 괜찮아요.

2) 답답하니까 아무 말이나 좀 해 봐.

1. V-(으)ㄴ/는 셈이다, N(이)ㄴ 셈이다

: 계산해 보면 이런 것과 같다는 뜻을 나타낸다.

1) 가: 올해 365권의 책을 읽는 것이 목표예요.
   나: 그럼 하루에 한 권을 읽는 셈이네요.

2) 가: 외국학생이 쓴 글인데 이 정도면 훌륭한 셈이지요?
   나: 그러게요. 이 학생은 글을 참 잘 쓰는 편이네요.

3) 가: 파하드 씨가 마라톤에서 완주하지 못 했다면서요.
   나: 결승점을 남겨 놓고 쓰러졌으니까 거의 다 달린 셈이죠.

4) 가: 자르갈 씨가 축구하다가 많이 다쳤다면서요. 다친 곳은 어때요?
   나: 상처만 조금 남았대요. 다 나은 셈이죠.

5) 가: 값이 너무 비싼 것 같아요.
   나: 그럴 리가요. 80% 할인 가격이니까 거의 공짜인 셈이에요.

✓ AV-(으)ㄹ 셈이다

: 어떻게 하겠다는 생각을 나타낸다.

1) 가: 회사에 잘 다니고 있어요?
   나: 네, 휴직할 셈으로 부장님을 찾아갔는데 허락을 안 해 주세요.

2) 가: 가족과 떨어져 있지만 룸메이트와 함께 생활해서 외롭지 않겠어요.
   나: 네, 그래서 룸메이트를 가족이라고 생각할 셈이에요.

- 마라톤
- 완주하다
- 결승점
- 휴직하다
- 부장

• 돌려받다

2. AV-(으)ㄴ/는/(으)ㄹ 셈 치다, N(이)ㄴ 셈 치다

: 가정함을 나타낸다.

1) 가: 학교에 버스를 타고 와요?
나: 아니요, 매일 운동하는 셈 치고 걸어 다녀요.
2) 가: 지금 시간이 없는데 어떻게 하죠? 다음에 대화하면 안 되나요?
나: 제가 요즘 너무 힘들어요. 사람 하나 살리는 셈 치고 이야기 좀 들어 주세요.
3) 가: 친구에게 책 돌려받았어요?
나: 몇 번을 연락해도 답이 없네요. 그 친구에게 빌려줬던 책은 없는 셈 치려고요.
4) 가: 지갑을 잃어버렸다면서요.
나: 아니요, 못 찾을 것 같아서 어려운 사람을 도와준 셈 치기로 했어요.
5) 가: 왕루 씨, 자르갈 씨하고 싸웠다면서요.
나: 네, 앞으로 다시는 안 볼 셈 치고 크게 싸웠어요.
6) 가: 자르갈 씨가 파하드 집으로 이사를 한다고 들었어요.
나: 네, 서로 외로운데 가족인 셈 치고 함께 살려고요.

3. V-(으)ㄴ/는 대로[2], N대로

: 먼저 한 행동이나 상태와 같은 모양임을 나타낸다.

1) 가: 요가는 처음이시죠? 제가 하는 대로 잘 따라 해 보세요.
나: 처음이어서 그런지 어렵네요.
2) 가: 키가 큰 사람이 정말 부러워요. 저는 키가 작아서 고민이거든요.
나: 그렇지도 않아요. 키가 큰 사람은 큰 대로 고민이 있어요.
3) 가: 어제 축구 경기 결과가 어떻게 됐어요?
나: 예상한 대로 우리 팀이 이겼어요. 그래서 기분이 좋네요.
4) 가: 직접 만든 요리가 맛이 없어요?
나: 네, 날마다 만드는 대로 만들었는데 오늘은 맛이 좀 이상해요.
5) 가: 어느 대학교에 지원했어요?
나: 선생님 말씀대로 인하대학교에 지원했어요.

✓ V-(으)ㄹ 대로

: 어떤 상태가 매우 심함을 나타낸다.

1) 가: 오늘은 너무 피곤해서 그만하고 가야겠어.
나: 요즘 계속 늦게까지 일을 하더니 지칠 대로 지쳤구나.

연습하기

1. 다음과 같이 이야기해 보십시오.

한국어를 공부한 지 얼마나 됐다
1급 때부터 공부했다 / 9개월 정도 공부했다
가: 한국어를 공부한 지 얼마나 됐**어요?**
나: 1급 때부터 공부했**으니까** 9개월 정도 공부한 **셈이에요.**

• 시사회

1) 이번 시사회에 모든 직원이 가다
한두 명 빼고 모두 참석하다 / 다 참석하다
2) 조금 더 깎아줄 수 있다
아니요, 5만 원에 팔던 걸 3만 원에 팔다 / 거저 주다
3) 여기에 오래 살았다
2살 때부터 살았다 / 평생 살았다
4) 일을 다 끝냈다
이제 이것만 끝내면 되다 / 다 했다
5) 그 분은 가족 없이 혼자 살다
네, 강아지를 뺀 다른 가족이 모두 외국에서 산다고 했다 / 혼자이다

2. 다음과 같이 이야기해 보십시오.

배가 고프다 / 식사를 하다
늦었다 / 밥을 먹었다 / 파티에 가다
가: 배가 고픈**데** 식사를 **할까요?**
나: 늦었**으니까** 밥을 먹**은 셈 치고** 파티에 가**요.**

• 느끼하다
• 향상
• 속다

1) 느끼하다 / 김치를 주문하다
여기는 김치가 없다 / 김치를 먹다 / 샐러드를 먹다
2) 숙제를 하고 싶지 않다 / 어떻게 하다
실력 향상에 도움이 되다 / 공부하다 / 숙제하다
3) 그 사람은 거짓말을 자주 하다 / 믿어야 하다
그동안 계속 믿어 왔다 / 이번에도 속다 / 믿어 주다
4) 생일이다 / 선물로 이 가방을 사 주다
부담스럽다 / 선물은 받았다 / 영화나 보다
5) 차를 마시고 싶다 / 커피숍에 가다
바쁘다 / 차를 마셨다 / 회의에 들어가다

• 작품
• 사실

3. 다음과 같이 이야기해 보십시오.

아이들은 어른들이 하는 것을 봤다 / 따라 하다
정말 그런 것 같다
가: 아이들은 어른들이 하는 것을 본 **대로** 따라 해**요.**
나: 정말 그런 것 같**아요.**

1) 이 작품을 알다 / 설명해 보다
   사실 이 작품에 대해서 아는 것이 없다
2) 평소에 먹다 / 상을 차려 봤다
   차린 게 많아서 꼭 잔치에 온 것 같다
3) 마음이 가다 / 결정할 것이다
   그게 마음이 편할 것이다
4) 그 분은 항상 결과에 상관없이 본인이 하고 싶다 / 하다
   그렇게 하려면 용기가 필요할 것 같다
5) 세상의 일은 우리 계획 / 되지 않는다
   저도 그렇게 생각하다

준비하기2 362

- 배출
- 사육하다
- 방뇨
- 기생충

메　이: 파하드 씨, 뭘 그렇게 열심히 읽고 있어요?

파하드: 아파드 게시핀에 붙여 놓은 글을 읽고 있어요. 사실 어제 옆집 아주머니께 주의를 좀 들었어요. 어제 밤 11시쯤 들어가는데 친구에게 전화가 와서 복도에서 통화를 했거든요. 그런데 제 목소리가 좀 컸나 봐요. 옆집 아주머니께서 문을 열고 나오시더니 밤늦게 들어올 때는 조용히 해 달라고 하시더라고요. 제 생각보다 방음이 안 된다는 사실도 알려 주셨어요. 그래서 씀씀하게 확인하는 중이에요.

메　이: 또 무슨 내용이 있어요?

파하드: 쓰레기 분리배출 규칙, 소음공해에 관한 규칙, 애완동물 관련 규칙 등이 적혀 있네요.

메　이: 그래요? 한국에 오니까 외로워서 강아지를 한 마리 키울까 하는데 어떻게 하라고 되어 있어요?

파하드: 애완동물은 사육할 수 없대요. 특히 개나 고양이는 소음 및 방뇨 때문에 피해를 줄 수 있을 뿐만 아니라 기생충을 옮길 수 있어서 안 된다고 해요. 하지만 작은 새나 물고기는 괜찮다고 해요.

메　이: 아, 강아지는 기를 수가 없어요? 아파트는 살기가 좋은 만큼 지켜야 할 것이 많이 있네요.

파하드: 그렇죠. 하지만 서로가 편하게 살기 위해서 이런 규칙은 꼭 필요하다고 생각해요.

표현

1. N_1에 관한 N_2

1) 법에 관한 책 중에서 외국인이 읽을 수 있는 것 좀 소개해 주세요.
2) 한국의 다양한 예절 중에서 지하철 예절에 관한 설명이 가장 새로웠다.

발음 363

1. 받침소리 [ㅂ]은 'ㄴ'이나 'ㅁ' 앞에서 [ㅁ]으로 발음된다.

1) 방법만 알면 쉬우니까 걱정 마세요.

2) 강아지는 기를 수가 없네요.

• 숨소리

4. V-(으)ㄴ/는/(으)ㄹ 만큼, N만큼

: 앞의 내용과 비슷한 정도나 수량임을 나타내거나 뒤 내용의 이유나 원인임을 나타낸다.

1) 가: 파하드 씨가 노래를 잘 부르네요.
   나: 노래를 잘 부르는 만큼 춤도 잘 춰요.

2) 가: 이 물건은 비싼 만큼 품질이 뛰어나요.
   나: 그래요? 저도 사야겠어요.

3) 가: 맛있게 드시더니 이제 그만 드시게요?
   나: 네, 많이 먹은 만큼 배도 부르네요.

4) 가: 여기는 정말 조용하네요.
   나: 네, 숨소리가 들릴 만큼 조용해요.

5) 가: 오늘 날씨가 춥지요?
   나: 네, 오늘도 어제만큼 춥네요.

• 연
• 날리다
• 뜨끈뜨끈하다
• 달구다
• 이불
• 덮다

5. 사동

: 말하는 사람이 다른 사람에게 어떤 행동을 시킬 때 사용한다.

1) 가: 소리가 너무 작아서 잘 안 들려요. 목소리 좀 높여서 이야기해 주세요.
   나: 네, 좀 더 큰 소리로 말씀 드리겠습니다.

2) 가: 학교 앞이 공사 중이어서 차가 많이 막혀요.
   나: 도로가 너무 좁아서 넓히는 거라네요.

3) 가: 자신의 소원을 적은 연을 날리면 소원이 이루어진대요.
   나: 그래요? 저도 날려 볼래요.

4) 가: 선생님 결혼식에 다녀왔어요?
   나: 네, 방명록에 제 이름도 남겼어요.

5) 가: 이사한다면서요.
   나: 네, 계약 기간이 다 되어서 집을 비워 줘야 하거든요.

6) 가: 감기에 걸려서 너무 힘든데 좋은 방법이 없을까요?
   나: 감기에 걸렸을 때는 뜨끈뜨끈하게 달군 방에서 이불을 덮고 푹 자는 게 최고예요.

7) 가: 제가 아직 일이 안 끝나서 약속 시간을 한 시간 늦춰야 할 것 같아요.
   나: 괜찮아요. 천천히 끝마치고 오세요.

연습하기

1. 다음과 같이 이야기해 보십시오.

이 옷은 예쁘다 / 비싸다
살까 말까 고민이다

가: 이 옷은 예쁜 **만큼** 비싸**요.**
나: **그래서** 살까말까 고민**이에요.**

1) 한국어는 많이 듣다 / 이해할 수 있다
교재 내용을 열심히 듣고 있다
2) 이해하다 / 사랑할 수 있다는 말이 있다
그 사람을 이해하려고 노력 중이다
3) 열심히 공부했다 / 성적이 좋을 것이다
저도 기대하고 있다
4) 그 사람은 돈이 많다 / 어떻게 쓸지 항상 고민하다
요즘에는 다른 사람을 열심히 도와준다고 하다
5) 건강 / 중요한 것이 없다
열심히 운동하는 중이다

2. 다음과 같이 이야기해 보십시오.

종이가 잘 붙다 / 반장

가: 종이가 잘 붙**었어요?**
나: **네,** 반장**이** 종이를 잘 붙**였어요.**

1) 환자가 침대에 눕다 / 간호사
2) 동생이 울다 / 형
3) 반 친구들이 웃다 / 자르갈 씨
4) 물이 주전자에 차다 / 로빈 씨
5) 잠이 깨다 / 오빠

- 반장
- 주전자
- 차다
- 깨다

듣기 364

라디오 사연 듣기

- 옆자리
- 이리
- 업다
- 대략
- 초반
- 무심하다
- 모처럼
- 심정
- 두렵다

※ 다음을 잘 듣고 물음에 답해 보십시오.

1. 젊은 엄마의 심정으로 알맞은 것을 고르십시오.

① 두렵고 행복하다　　② 미안하고 감사하다
③ 속상하고 안타깝다　　④ 복잡하고 고민스럽다

2. 이 글의 내용과 다른 것을 고르십시오.

① 나는 지하철을 이용하여 등하교를 한다.
② 아이를 업은 젊은 엄마는 짐이 아주 많다.
③ 아주머니는 자리를 양보하기 위해 일어나셨다.
④ 요즘 사람들은 누구나 양보를 아주 잘한다.

말하기

상황에 따른 의견 제시하기

※ 자신의 의견을 이야기해 보십시오.

1. 다음과 같은 상황에서 어떤 선택을 할지 생각해 보십시오.

예	학교에서 시험을 보고 피곤한 몸으로 버스를 탔다. 자리에 앉아서 졸고 있는데 할아버지 한 분이 버스에 타셨다.
상황 1	음식물 쓰레기와 일반 쓰레기를 나누어서 버려야 하는 것을 알고 있지만 음식물 쓰레기의 양이 너무 적다.
상황 2	오늘은 취업 면접이 있는 날이다. 지하철에서 내려서 계단을 올라가고 있는데 어떤 할머니께서 무거운 짐을 들고 올라가고 계신다. 시간이 아슬아슬하여 할머니를 도와드리면 면접에 지각을 할 것 같다.
상황 3	고향에서 가져온 짐으로 가방이 너무 무겁다. 지하철 역에서 엘리베이터를 타려고 하는데 할아버지 한 분이 노약자 전용이라고 말씀하시면서 타지 말라고 눈치를 주신다.
상황 4	시험을 보고 있다. 문제가 너무 어려워서 고민하다가 잠깐 고개를 들었는데 친구의 답안지가 보인다.

- 아슬아슬하다
- 눈치
- 답안지

2. 다음과 같이 이야기해 보십시오.

예

제가 만약 버스 자리에 앉아 있는데 할아버지 한 분이 타신 것을 **봤다면** 양보를 **할 것입니다. 왜냐하면** 할아버지께서는 서서 계실 경우에 힘이 없어서 다치실 수도 있**기 때문입니다.** 노약자에게 자리를 양보하는 것은 약한 사람을 배려하는 일**이므로** 할아버지가 타셨을 때 자리를 양보**해야 한다고 생각합니다.**

읽기

상황윤리에 대해 문제 제기하기

※ 다음을 읽고 물음에 답해 보십시오.

- 절도
- 혐의
- 체포되다
- 범행
- 저지르다
- 병상
- 변변하다
- 발견하다
- 빼앗다
- 채
- 미터
- 죄
- 붙잡히다
- 도리
- 경기
- 불황
- 생계형
- 평등하다
- 과연
- 도덕적
- 지탄받다
- 마땅하다

지난 31일 40대 남성이 절도 혐의로 체포되었다. 그러나 그 남성이 범행을 저지른 원인이 어머니의 수술비를 마련하기 위한 것으로 알려져 많은 사람들의 마음을 아프게 하고 있다. 체포된 이 모 씨(48세)는 수술만 하면 병상에 계신 어머니가 다시 건강해질 수 있다는 말에 뛸 듯이 기뻐하였다. 몇 년 동안을 병상에 계신 어머니가 다시 건강해져서 집으로 돌아올 수만 있다면 무슨 일이든 다 할 수 있다고 생각했다. ㉠ 그 기쁨도 잠시, 이 씨는 수술비를 구할 수가 없었다. 병원비를 내기 위해 이미 집, 자동차는 물론이고 돌아가신 아버지가 물려주신 시계까지 팔았다. 그러나 몇 년 전 교통사고로 허리를 다친 이 씨는 변변한 직업도 없어 이곳저곳에서 많은 돈을 빌렸다. 이제는 더 이상 돈을 빌려 주는 사람마저 없었다. 이런 생각으로 은행 앞을 지나던 중 큰 가방을 들고 은행에서 나오는 한 아주머니를 발견하였다. 그때 이 모 씨는 자기도 모르게 그 사람의 돈가방을 빼앗아서 달아났다. ㉡ 이 모 씨는 채 10미터도 못 가서 경찰에게 붙잡혔다. 죄를 짓자마자 붙잡힌 셈이다.

이 모 씨는 눈물을 흘리며 말했다.

"죽어가는 어머니를 위해 아무 일도 하지 않는 것은 아들의 도리가 아니라고 여겼습니다. 돈을 훔치는 것이 아니라 잠시 빌리는 셈 치자고 생각했습니다. 죄송합니다."

경기 불황이 계속 되면서 ㉢생계형 범죄가 늘어나고 있다. 물론 모든 사람들은 법 앞에 평등하다. 그러나 어머니에 대한 사랑으로 저지른 아들의 범죄가 과연 도덕적으로 지탄받아야 마땅한 것일까?

1. 이 글의 내용과 다른 것을 고르십시오.

① 이 모 씨는 범행을 저지르자마자 경찰에 붙잡혔다.
② 이 모 씨의 어머니는 오랫동안 병원에 입원해 있었다.
③ 이 모 씨는 계획적으로 은행 앞에서 돈가방을 훔쳤다.
④ 이 모 씨는 병원비 마련을 위해 아버지의 유품을 팔았다.

2. ㉠과 ㉡에 공통으로 들어갈 말을 고르십시오.

① 그래서 ② 그러면 ③ 그러나④ 그리고

3. ㉢과 바꾸어 쓸 수 있는 것을 고르십시오.

① 먹고 살기 위한 ② 집을 마련하기 위한
③ 직업을 구하기 위한 ④ 학업을 계속하기 위한

쓰기

논리적으로 주장하기

※ 자신의 생각을 써 보십시오.

1. 다음 글을 읽고 처벌 여부에 대해 생각해 보십시오.

> 집에 음식이 없어서 어쩔 수 없이 마트에서 아이의 분유를 훔친 엄마가 있습니다. 끼니도 거를 만큼 형편이 어려워서 아이에게 밥을 먹이는 것이 불가능했기 때문입니다. 아이의 아빠도 교통사고로 죽어서 엄마와 아기 두 사람뿐이었습니다.

1) 이 여성을 처벌해야 합니까? 이해해야 합니까?

2) 그 이유는 무엇입니까?

3) 만약에 여러분이라면 어떻게 하시겠습니까? 그 이유는 무엇입니까?

- 처벌
- 분유
- 끼니
- 형편

2. 생각한 내용을 바탕으로 개요를 완성해 보십시오.

처음	최근 경제가 어려워지면서 생계형 범죄가 늘어나고 있다고 한다.
중간	• – – • – –
끝	그러므로

3. 개요를 바탕으로 글을 써 보십시오.

문화 이해하기

강도를 만나 길에서 죽어가는 사람이 있었다. 대부분의 사람들은 그를 보고 그냥 지나쳤지만 그를 구해준 선한 사람에 대한 이야기가 있다. 만약 이러한 상황이라면 당신은 어떻게 하겠는가?

어떤 사람의 생명이나 신체가 위험하다는 사실을 우연히 알게 되었을 때 이를 알고도 그냥 지나친 사람을 처벌하는 법이 있다. 즉 비도덕적 행위를 법을 통하여 처벌하는 것이다. 예를 들어 유럽의 몇몇 나라들에서는 이러한 경우에 도움을 주지 않으면 벌금형, 구류, 징역 등의 처벌을 받는다. 한편 응급 환자를 도와주다가 본의 아니게 신체에 상해를 가하거나 재산상의 피해를 입힌 경우에는 책임을 면해 주기도 한다.

한국에서는 '의사자'를 신청할 수 있는 제도가 있다. 이 제도는 다른 사람을 도와주다가 사망한 경우에 나라에서 유족에게 합당한 보상을 하는 제도이다. 실례로 물놀이를 하다가 위험에 처한 친구를 구하고 대신 사망한 13살 아이가 있었는데 국가는 이 아이를 의사자로 정하고 유족에게 보상했다.

이러한 도덕적인 행위는 상벌을 떠나 누구든지 당연한 일로 여겨야 한다. 나에게도 언제든지 다른 사람의 도움이 필요한 때가 온다는 사실을 잊지 말고 양심을 지키며 살자.

- 강도
- 선하다
- 생명
- 처벌하다
- 즉
- 구류
- 징역
- 한편
- 응급
- 본의
- 상해
- 재산
- 입히다
- 면하다
- 의사자
- 제도
- 사망하다
- 유족
- 합당하다
- 보상
- 실례
- 처하다
- 국가
- 보상하다
- 상벌
- 양심

※ 이야기해 보십시오.

1. 여러분 나라에는 위와 같은 법이 있습니까?

2. 여러분은 위와 같은 법이 필요하다고 생각합니까? 그 이유는 무엇입니까?

M.E.M.O.

부록

- 듣기 지문
- 모범 답안
- 색인

듣기 지문

1 학교생활

듣기 304

박지성: 메이, 네가 한국에 온 지도 벌써 6개월이 지났네. 한국에서 생활할 때 불편한 건 없어?

메 이: 불편한 건 없는데 생활이 너무 단순해서 좀 심심해.

박지성: 그래? 다른 나라에서 생활하는 것이 왠지 재미있을 것 같은데…….

메 이: 꼭 그렇지도 않아. 아침에 학교에 와서 수업을 듣고 수업이 끝나면 점심을 먹고 집에 와서 자고……. 그리고 다음날 다시 학교에 가고…….

박지성: 매일 그런 생활이 반복되면 지루하겠다. 학교 안에서 할 수 있는 활동을 찾아보는 게 어때?

메 이: 학교에서 수업 듣는 것 말고 다른 할 일이 있어?

박지성: 당연하지. 날씨가 좋을 때는 잔디밭에 앉아서 친구들과 얘기하거나 책도 볼 수 있고 도서관에서 일주일에 한 번씩 영화도 볼 수 있어.

메 이: 정말? 도서관에서는 공부만 하는 줄 알았는데 영화도 볼 수 있구나.

박지성: 그럼. 그리고 요즘에는 회원을 모집하는 동아리도 많아. 학교생활이 지루하면 동아리에 가입해 봐.

메 이: 그런 건 처음이라 좀 떨리는데…….

박지성: 그래도 재미있을 거야.

메 이: 그럼 한번 알아보고 연락해 봐야겠다.

2 모임

듣기 308

파하드: 여보세요?

아멜리: 파하드 전화지요?

파하드: 네, 전데 누구세요?

아멜리: 파하드, 나 아멜리야.

파하드: 아멜리구나. 오랜만이다. 웬일이야?

아멜리: 2급 때 우리 반 학생들과 선생님이 같이 모여서 밥을 먹기로 했어. 너는 당연히 올 수 있는 거지?

파하드: 당연하지. 내가 우리 반 친구들을 모두 보고 싶어 한 거 알잖아. 나는 방학 때 고향에서도 한국에 오는 날짜만 확인하고 있었어. 언제야?

아멜리: 다음 주 금요일 오후 1시에 수업이 끝나고 같이 점심을 먹으려고. 원래는 이번 주였는데 우리 부모님께서 고향에서 오시는 바람에 다음 주로 바뀌었어.

파하드: 부모님께서 오셨어? 정말 부럽다. 부모님께서도 너를 보시고 좋아하셨겠네.

아멜리: 나도 아주 기분이 좋아. 그래서 이번 주에 모이면 내가 못 가니까 선생님께서 약속을 미뤄 주셨어. 못 갈 뻔 했는데…….

파하드: 우리 선생님께서 원래 좋으신 분이시잖아. 다른 친구들도 다 오겠지?

아멜리: 아마 그럴 거야.

파하드: 지난 학기가 끝나고 다들 만날 수가 없어서 아쉬웠는데……. 재미있겠다.

3 성격과 감정

듣기 312

로 빈: 아멜리 씨, 왜 아까부터 창밖만 물끄러미 바라보고 있어요?

아멜리: 갑자기 비가 오니까 괜히 서글퍼지네요.

로 빈: 아까 공원에서 점심 먹을 때는 기분이 좋아서 하늘을 날아갈 것 같다고 했잖아요. 갑자기 너무 심란해 보여서 내가 뭐 실수했나 걱정했어요.

아멜리: 저는 기분이 날씨에 따라서 자주 바뀌거든요. 아까는 날이 너무 화창해서 기분이 좋았어요. 봄이 되니까 더 그러네요.

로 빈: 아멜리 씨, 봄 타나 봐요. 봄은 여자의 계절이라고 하잖아요.

아멜리: 네? 봄을 탄다고요? 그게 무슨 말이에요?

로 빈: 아, 그 말은 계절이나 날씨의 영향으로 감정의 기복이 심해지는 것을 말해요. 그래서 봄이 되면 여자의 마음에 봄바람이 불어서 싱숭생숭해진다고 해요. 그리고 가을은 남자의 계절이라고 하는데, 가을에는 남자들이 쓸쓸한 감정을 자주 느낀다고 해요.

아멜리: 아, 그런 말이 있군요. 봄은 여자의 계절, 가을은 남자의 계절이라……. 그럼 올 가을에는 로빈 씨가 외로워하겠네요.

4 소식과 소문

듣기 316

박지성: 로빈 씨, 안색이 안 좋아 보이는데 무슨 일 있어요?

로 빈: 요즘 목이랑 어깨 통증이 심해져서 그래요.

박지성: 어제 뉴스에서 보니까 요즘 척추 질환 환자가 늘고 있대요.

로 빈: 저도 들었어요. 잘못된 자세가 원인인 경우가 많다면서요?

박지성: 맞아요. 특히 버스나 지하철에서 목을 숙여 휴대전화를 보는 자세가 안 좋다고 해요.

로 빈: 저는 휴대전화를 잘 사용하지 않는 편인데 왜 그럴까요?

박지성: 장시간 텔레비전이나 컴퓨터 앞에 앉아 있어도 그렇게 된다는 전문가의 말도 있었어요. 혹시 그런 거 아니에요?

로 빈: 그런가 봐요. 저는 특히 컴퓨터 앞에서는 통 움직이지 않아요.

박지성: 앞으로 척추 건강을 위해서 자세를 바르게 하는 게 좋겠어요. 어제 뉴스에서 몇 가지 알려 줬는데 한번 해 보세요.

로 빈: 좋아요. 어떻게 하는 거예요?

박지성: 우선 앉을 때는 허리를 곧게 세워야 하고 한 시간에 한 번은 자리에서 일어나 스트레칭을 하래요. 그리고 꾸준히 규칙적인 운동을 해서 척추 주위 근육을 강화시켜 주어야 한대요.

로 빈: 습관을 기르기가 힘들겠지만 한번 해 봐야겠네요.

5 초대와 방문

듣기 320

자르갈: 지난 주말에 선생님 댁에 집들이를 다녀왔다면서요? 어땠어요?

아멜리: 정말 재미있었어요. 두 분의 연애 시절 이야기가 드라마 같았어요.

자르갈: 그래요? 사모님께서 요리를 잘 하신다고 들었는데 음식은 맛있었어요?

아멜리: 네, 요리 종류도 정말 다양했고요. 너무 많이 먹어서 배가 터질 뻔했어요.

자르갈: 정말 좋았겠네요. 한국에서는 보통 집들이 선물로 세제와 휴지를 사간다고 하는데 아멜리 씨는 어떤 선물을 샀어요?

아멜리: 선생님께 조금 특별한 선물을 드리고 싶어서 반 친구들과 회의를 했거든요. 그래서 커플 잠옷을 사 갔어요. 선생님께서 예쁘다며 좋아하셨어요.

자르갈: 늦게까지 놀다가 왔어요?

아멜리: 집 구경도 하고 이야기도 하느라고 밤 10시가 넘어서 나왔어요.

자르갈: 선생님과 사모님 모습이 정말 좋아보였겠네요.

아멜리: 네, 두 분이 깨가 쏟아지게 사시는 모습을 보니까 저도 빨리 결혼해서 행복해지고 싶었어요.

6 요리

듣기 324

사회자: 지금부터 각 조에서 만든 음식들을 소개해 보겠습니다. 먼저 1조 나와서 소개해 주시죠.

1 조: 저희 1조에서는 육개장을 만들어 보았습니다. 소고기에 양념을 한 다음에 고춧가루와 고추기름을 넣고 끓여 맵고 얼큰하게 만들었습니다. 매운맛을 좋아하는 한국 사람들이 먹기에는 최고의 음식입니다.

사회자: 국물이 정말 빨가네요. 술을 많이 마신 다음날 먹으면 정말 좋을 것 같습니다. 다음으로 2조 나와서 발표해 주시죠.

2 조: 저희 2조는 떡볶이에다가 해물을 넣은 해물떡볶이를 만들어 보았는데요. 보통의 떡볶이보나 영양이 풍부한 떡볶이입니다. 고추장과 간장, 설탕 등으로 만든 양념에 떡과 준비된 해물과 야채를 넣고 끓이면 해물떡볶이가 완성됩니다. 매운맛과 단맛이 조화를 이루며 해물을 넣어 국물 맛이 담백합니다. 조리법이 간단하기 때문에 친구들과 부담 없이 맛있게 즐길 수 있는 음식입니다.

사회자: 보통의 떡볶이에 해물을 넣어 맛과 영양이 풍부한 음식을 만드셨네요. 모두들 만들어 본 적이 없는 한국 음식을 최선을 다해 만드셨군요. 여러분들이 이렇게 열심히 잘 만들 줄은 정말 몰랐습니다. 수고 많으셨습니다. 그럼 다 같이 나와서 맛을 보고 평가를 내려 주십시오.

7 운동

듣기 328

자르갈: 겨울 내내 집에서 웅크리고 있어서 그런지 요즘 몸이 무겁고 힘들어요.

아멜리: 알다시피 그럴 땐 스트레칭 같은 가벼운 운동이 최고죠. 제가 몇 가지 동작을 알려 줄게요.

자르갈: 그럼, 집에서도 쉽게 할 수 있는 동작 몇 가지만 알려 주세요.

아멜리: 좋아요. 지금 한번 따라해 보세요. 먼저 허리를 세우고 다리를 약간 벌린 채로 의자에 앉아 고개를 뒤로 젖혀서 위를 바라보세요. 이 자세를 15초쯤 유지하고 3회 정도를 반복하면 돼요. 아주 간단하죠?

자르갈: 생각보다 정말 간단하네요. 게다가 아주 잠깐 움직였을 뿐인데도 굉장히 시원한데요. 쉬는 시간에 잠깐씩 해도 되겠어요. 그런데 이 동작은 무슨 효과가 있어요?

아멜리: 이 동작은 목의 근육을 풀어 주는 동작이에요. 이 동작을 반복해서 하면 목의 피로가 싹 풀릴 거예요.

자르갈: 이렇게 간단할 줄 몰랐어요. 전 어깨 근육이 뭉치는 경우도 많은데 미안하지만 어깨에 좋은 동작도 하나 알려 줄 수 있어요?

아멜리: 어렵지도 않은 부탁인데 뭘 그래요. 자, 이번에는 양손을 뒤쪽으로 해서 깍지를 낀 상태로 쭉 펴고 그대로 양손을 올리면서 가슴을 펴보세요. 어때요? 어깨가 쫙 펴지는 것 같지 않아요?

자르갈: 와, 진짜 시원해요. 왠지 키가 큰 것 같기도 하고요. 아멜리 씨가 알려준 걸 항상 기억하고 있다가 틈이 날 때마다 해 봐야겠어요.

8 일상생활

듣기 332

아멜리: 파하드, 너 뭐하고 있어?

파하드: 요즘 문제가 좀 있어서 인터넷으로 찾아보고 있어.

아멜리: 그래? 나한테 말해 봐. 내가 아는 것이면 도와줄게.

파하드: 부모님께 선물을 보내려고 하는데 어떻게 해야 하는지 잘 모르겠어.

아멜리: 평소에는 전화도 잘 안 하면서 갑자기 무슨 선물이야?

파하드: 얼마 후에 아버지 생신이셔서 한국에서 유명한 물건을 보내고 싶어. 그래서 인터넷으로 찾아보고 있는데 한국어여서 그런지 어렵네. 추천 좀 해 줄래?

아멜리: 혹시 우체국 쇼핑이라고 들어 봤어?

파하드: 우체국 쇼핑?

아멜리: 응. 우체국에 가면 한국 특산물을 소개하는 책이 있어. 거기에서 네가 보내고 싶은 물건을 골라서 우체국 직원에게 이야기하면 돼. 그리고 나서 신청서를 쓰고 돈을 내면 특산물이 생산된 곳에서 네가 원하는 곳으로 배달될 거야.

파하드: 그래? 그건 뭐가 좋아?

아멜리: 산지 직송이니까 믿을 수 있고 망가지지 않게 포장도 해서 보내 주니까 이용하기 편리해. 인터넷에서 주문해도 되고 스마트폰으로도 주문할 수 있어서 간편하지.

파하드: 그렇구나. 항상 느끼는 건데 넌 정말 대단한 친구야. 이런 정보는 대체 어디에서 구하는 거야?

아멜리: 이 정도는 식은 죽 먹기에 땅 짚고 헤엄치기지. 한국 친구에게 물어보면 쉽게 정보를 얻을 수 있어.

파하드: 우와. 너 이제 한국 사람이라고 해도 믿겠어. 고마워. 네 덕분에 고민이 해결됐다.

듣기 336

뉴스 진행자: 추석 연휴 나흘째인 오늘 전국 고속도로 상황이 조금씩 좋아지고 있습니다. 현재 차량은 서서히 움직이고 있으며 곧 상황이 더 나아질 것으로 전망됩니다. 취재기자 연결해 자세한 상황 들어 보겠습니다. 최원석 기자! 고속도로에 갇혀 있던 차량들 이제 움직이기가 좀 쉬워졌습니까?

기 자: 네, 저녁이 넘어가면서 수도권 방향 고속도로의 차량들이 조금씩 줄어들고 있습니다. 먼저 경부고속도로입니다. 아직 막히는 곳이 남아있지만, 차량이 빠지는 속도가 조금씩 증가하고 있습니다. 이어서 서해안고속도로는 몇 시간 전까지 차량들이 꼬리를 물고 있었지만 지금은 서서히 서울 방향으로 움직이고 있습니다. 마지막으로 영동고속도로는 차량 숫자가 많지만 속도가 매우 빨라졌습니다. 오늘 고속도로를 통해 수도권으로 들어오는 차량은 43만 대로 예상됩니다. 지금 출발하면 대전에서 서울까지 2시간 30분, 광주에서 4시간, 부산에서 5시간 정도가 걸립니다. 한국 도로 공사는 예상보다 일찍 고속도로 상황이 좋아질 것으로 전망했습니다. 아직 목적지로 출발하지 않으셨다면 한국도로공사 홈페이지에서 교통 상황을 미리 확인하고 떠나시면 좋겠습니다. 이상 IBS 최원석이었습니다.

10 여행

듣기 340

직 원: 네, 정석 여행사입니다.

파하드: 안녕하세요. 홈페이지에 있는 여행 상품을 보고 전화를 드렸는데요. 비행기, 숙소, 렌터카 포함이라고 써 있는 상품을 봤어요.

직 원: 언제 어디로 가실 예정이시죠? 상품 번호를 알려 주시면 빠른 안내가 가능합니다.

파하드: 상품 번호는 잘 모르겠고요, 이번 달 말에 출발하는 2박 3일 제주도 자유 여행 상품이 있던데 제주도에서는 외국인도 차를 운전할 수 있나요?

직 원: 외국인의 경우 본국에서 발급받은 국제운전면허증이 있어야 렌터카 운전이 가능하십니다. 알아보신 것과 같은 자유 여행도 좋지만 제주도가 처음이시라면 가이드와 함께 버스를 타고 이동하는 단체 여행은 어떠십니까? 자유 여행에 비해 가격도 저렴하고요.

파하드: 그것도 좋지만 제가 스스로 찾아서 하는 여행이 더 좋더라고요. 국제운전면허증이 없이시 렌터카는 어려울 것 같은데 다른 방법은 없을까요?

직 원: 그러면 에어텔만 예약하시고 버스나 택시로 이동하시면서 여행하시는 건 어떨까요?

파하드: 에어텔이요?

직 원: 비행기와 숙소만 선택해서 예약하는 상품입니다. 버스의 경우 현재 사용하고 계시는 교통카드를 사용하셔도 되고 시간표도 잘 되어 있으니까 큰 불편함은 없으실 거예요.

듣기 344

뉴스 진행자: 다음 소식입니다. 오늘 오전 8시 30분 출근하는 사람들로 복잡한 신도림역에서 전동차와 승강장 사이에 발이 빠져 전동차의 운행이 잠시 중단되는 사고가 발생했습니다. 송양환 기자의 보도입니다.

기　　자: 오늘 오전 서울 신도림역에서 여학생이 지하철에서 내리다가 전동차와 승강장 사이에 발이 빠지는 사고가 발생했습니다. 주위 사람들은 처음에 당황스러워했지만 함께 힘을 모아 지하철을 밀어서 여학생을 구했다고 하는데요. 사람들의 협동이 아니었으면 큰 사고로 이어질 뻔했던 긴급한 상황이었습니다. 사고를 당한 여학생은 병원으로 옮겨졌고 다행히 발은 크게 다치지 않은 것으로 전해졌습니다. 이상 시민들의 협동심이 소중한 목숨을 구한 현장에서 전해 드렸습니다.

뉴스 진행자: 단체의 이익보다 개인의 이익이 앞서는 요즘 사회에서 사람들의 협동심을 엿볼 수 있는 훈훈한 소식이었습니다.

마지막 소식입니다. 한 고속버스 운전기사가 차 안에서 용변을 본 70대 노인을 돌본 소식이 회사 홈페이지에 올라와서 많은 사람들에게 잔잔한 감동을 주고 있는데요. 한승연 기자의 보도입니다.

기　　자: 오늘 오후 인하고속 홈페이지에 해당 회사 소속 기사를 칭찬하는 글이 게재되었습니다. 칭찬의 주인공은 인하고속 사원인 김정현(50) 씨로 알려졌습니다. 인하고속에 따르면 지난 달 30일 인천에서 부산에 가던 인하고속 버스 안에서 70대 남성이 용변을 봤는데 김 씨는 다른 승객들에게 양해를 구한 후 근처에 있는 톨게이트로 차량을 돌렸다고 합니다. 그리고 당황하여 얼굴이 빨개져 있던 노인을 손수 모시고 화장실에서 직접 몸을 씻긴 후 갈아입을 옷과 슬리퍼까지 구해온 것으로 전해졌습니다. 다른 사람에게 곤란한 상황이 발생해도 자신에게 피해가 생기는 것만을 염려하는 사람들에게 귀감이 되는 현장에서 한승연이었습니다.

12 공연과 감상

듣기 348

뉴스 진행자: 추석 극장가에서 사극 영화 '운명'이 1위를 달리고 있습니다. 한승우 기자가 설명해 드립니다.

기 자: 조선 시대 천재 관상가의 삶을 그린 사극 영화 '운명'입니다. 지난 11일 개봉 이후 610만 명을 모았는데, 추석 연휴 사흘 동안에만 230만 명이 관람했습니다. 영화 '운명'을 관람한 몇몇 사람들과 인터뷰를 나눠 보도록 하겠습니다. 이런 사극 영화의 어떤 점이 좋은가요?

여 자: 화면에 나오는 옛날 풍경들이 신선하고 눈이 즐거웠어요. 그리고 지금과 다른 시대를 상상하면서 보니까 더 흥미로운 것 같아요.

남 자: 사극 영화를 보다가 보면 우리의 역사를 되돌아볼 수 있는 관심이 생길 거예요. 사극 영화가 역사를 왜곡할 위험이 있지만 바른 역사를 찾아볼 수 있는 기회도 제공하는 것 같아서 좋아요. 이런 점은 교육적이기도 하고요.

기 자: 네, 말씀 잘 들었습니다. 영화 평론가 김유정 씨는 세상에 대해 관심이 많은 어른 세대들 덕분에 사극 영화가 인기를 얻고 있다고 했습니다. 앞으로 우리의 역사를 되돌아볼 수 있고 후손들에게 역사의식도 심어줄 수 있는 사극 영화가 계속 발전하기를 기대해 봅니다. IBS 한승우였습니다.

13 인터넷

듣기 352

최근 스마트폰 사용이 증가하면서 소셜 네트워킹 서비스 사용자들이 늘고 있는데요. 이들은 스마트폰으로 시간과 장소에 상관없이 SNS를 즐기고 있습니다. 무분별한 사용으로 부작용도 많다고 하지만 잘만 사용하면 유용한 소통의 도구이기도 하지요. SNS는 친구를 만들거나 사진이나 정보 공유하기, 모임 기획하기 등 다용도로 사용되고 있는데요. 친구와 친구, 교사와 학생을 잇는 역할뿐만 아니라 멀리 떨어져 있는 가족이나 친구들과 빠르고 편리하게 연락할 수 있도록 하고, 연예인이나 정치인과 소통할 수 있도록 하는 등 우리 생활에 큰 비중을 차지하고 있습니다. 하지만 SNS는 인터넷 중독과 사생활 침해, 범죄에 악용되는 등의 문제점도 초래하고 있습니다. 잘만 사용하면 우리 생활에 유용한 SNS. 확인되지 않은 정보는 믿지 않고, 개인 정보는 제한적으로 사용하며, 보이지 않는 인터넷 공간에서 예의를 지켜 말하는 등의 작은 노력이 필요합니다.

14 공공장소

듣기 356

안 내: 비행기가 곧 이륙하겠습니다. 승객 여러분께서는 안전하게 자리에 앉아 안전벨트를 매 주시고 좌석 등받이와 테이블은 원위치해 주시기 바랍니다.

승무원: 손님, 갑작스러운 난기류로 인하여 기체가 심하게 흔들릴 수 있기 때문에 불편하셔도 비행기 이착륙 시에는 안전벨트를 꼭 착용하셔야 합니다.

탑승객: 짐을 정리하느라 깜빡했네요. 죄송합니다.

승무원: 밖이 보이게 창문 가리개도 올려 주시기 바랍니다.

탑승객: 밖이 너무 밝아서 눈이 부신데 창문은 좀 가리고 있으면 안 될까요?

승무원: 죄송합니다만 이착륙 시에는 안전상의 이유로 창을 가리지 못하게 하고 있습니다. 이륙할 때까지 잠시만 기다려주시겠습니까?

탑승객: 그렇다면 어쩔 수 없죠, 뭐. 이륙할 때까지 조금 자는 게 낫겠네요.

승무원: 손님, 이륙 시에는 혹시 모를 상황에 대비하여 좌석 등받이도 원위치를 해야 합니다. 불편하셔도 안전을 위해 양해 부탁드립니다.

탑승객: 삼가야 할 것들이 이렇게 많은 줄 몰랐어요. 모두의 안전을 위해서 해야 하는 일이니 지킬 건 지킬게요.

듣기 360

흐엉: 로빈 씨는 지금 살고 있는 집이 마음에 들어요?

로빈: 아니요, 집 밖이 바로 차가 다니는 도로라서 먼지도 많고 시끄러워서 이사를 가려다가 아직 계약 기간이 남아서 못 가고 있어요.

흐엉: 먼지가 많이 들어오고 시끄러우면 청소를 정말 자주 해야 되겠네요. 저는 지금 살고 있는 집이 방음 처리가 잘 안 돼서 불편해요. 옆집에서 청소기를 돌리는 소리나 음악 소리가 날 때면 짜증이 안 나려야 안 날 수가 없거든요. 게다가 대형 마트를 이용하려면 집 주변에 대형 마트가 없어서 택시를 타고 나가곤 해요.

로빈: 그래도 흐엉 씨 집 근처에는 큰 공원이 있어서 좋잖아요. 주거 환경이 깨끗하고 큰 공원이 있어서 산책도 자주 할 수 있고 저는 너무 부러운데요.

흐엉: 하지만 우리 집 근처에는 쇼핑몰도 없고 교통도 불편해서 생활하기가 너무 불편해요. 로빈 씨 집은 서울로 나가는 버스도 많고 지하철이 바로 연결되어 있어서 아마 우리 집보다는 훨씬 좋은 점이 많을 걸요.

로빈: 관리비는 어때요? 우리 집은 전기 요금과 가스 요금을 따로 내는데도 관리비가 너무 비싸서 매달 나가는 돈이 엄청나요.

흐엉: 관리비까지 내요? 우리 집은 관리비가 없어서 월세랑 여러 요금만 내면 되거든요. 방이 두 개인데 월세도 싼 편이고 전기 요금이나 수도 요금도 많이 나오지 않아서 좋아요.

로빈: 우리 집은 오피스텔이라서 관리비가 따로 있어요. 게다가 겨울에는 가스비가 너무 많이 나와서 가급적 난방을 하지 않고 두꺼운 옷을 여러 겹 입고 지내야 해요.

흐엉: 로빈 씨 집은 번화가에 있고 오피스텔이라서 부럽기만 했는데 그렇게 돈이 많이 드는 줄은 몰랐네요. 임대 기간이 끝나면 좀 더 싸고 괜찮은 곳으로 옮기세요.

16 법과 도덕

듣기 364

진행자: 이번 사연은 인천에 사는 최수지 씨의 사연입니다.

나는 매일 지하철을 타고 학교에 다닌다. 오늘 지하철을 막 탔을 때였다. 앉아 계시던 아주머니 한 분이 일어나시는 것을 봤다. 그분이 앉아 계시던 자리는 내가 평소에 좋아하는 문 옆자리였다. 나는 아주머니가 당연히 내리실 것이라고 생각하고 그 자리로 가려고 준비하고 있었다. 그런데 그 아주머니는 지하철 문 쪽을 보시면서 어떤 사람에게 이리 와서 앉으라고 하셨다. 그쪽을 보니 어린아이를 업은 젊은 엄마가 서 있었다. 대략 30대 초반쯤 되어 보였는데 양손에는 아기의 물품이 가득 들려 있었다. 젊은 엄마는 자신보다 연세 있으신 분이 자리를 양보해 주시는 것에 미안했는지 거절했지만 그 아주머니는 젊은 엄마를 앉히시며 한마디 하셨다.

"아무리 젊어도 애가 있으면 무조건 앉아야 돼. 안 그러면 나이 들어서 아파."

임산부나 몸이 불편한 사람이 서 있는 것을 봐도 무심하게 대하는 사람들만 경험했던 나에게 오늘 일은 신선한 느낌이었다. 이런 사람들이 있어 아직은 세상이 살 만하다는 생각이 들었다. 모처럼 마음이 따뜻해지는 느낌이 들어 행복했다.

모범 답안

1 학교생활

듣기

1. ①　2. ③

읽기

1. 근로 장학생을 모집하기 위해서
2. ①

2 모임

듣기

1. ③　2. ①

읽기

1. ④　2. ①

3 성격과 감정

듣기

1. ①　2. ③

읽기

1. ②　2. 1) (×)　2) (×)　3) (○)

4 소식과 소문

듣기

1. ②　2. ③

읽기

1. 대학생들과 방학 생활에 대한 인터뷰　2. ④　3. ②

5 초대와 방문

듣기

1. 1) ×　2) ×　3) ×　4) ○
2. ①

읽기

1. ③
2. 대학교 입학 서류 때문에 고향에 와 있어서

6 요리

듣기

1.

음식	재료
육개장	소고기, 고춧가루, 고추기름
해물떡볶이	고추장, 간장, 설탕, 떡, 해물, 야채

2. 1) ㉣, ㉤　2) ㉠, ㉡, ㉢
3. 1) (×)　2) (○)　3) (×)　4) (×)

읽기

1. 어머니의 사랑을 느낄 수 있는 미역국　2. ④

7 운동

듣기

1. ③　2. ②　3. ③

읽기

1. ③　2. ④　3. ③

8 일상생활

듣기

1. ③　2. ③　3. 매우 쉬운 일

읽기

1. ③　2. ②　3. ②

9 교통

듣기

1. 1) 서해안고속도로　　2) 경부고속도로
   3) 영동고속도로

2. ②

읽기

1. ④　　2. ④

10 소식과 소문

듣기

1. ①　　2. ③

읽기

1. ②　　2. ④　　3. ③　　4. ③

11 대중매체

듣기

1. ③　　2. ②　　3. ①

읽기

1. ②　　2. ①　　3. ④

12 공연과 감상

듣기

1. ④　　2. ④

읽기

1. ①　　2. ④

13 인터넷

듣기

1.

sns의 장점	sns의 단점
• 친구를 만들 수 있다. • 사진이나 정보를 공유할 수 있다. • 모임을 계획할 수 있다.	• 인터넷에 중독될 수 있다. • 사생활 침해 • 범죄에 악용되기도 한다.

2. ④

읽기

1. 쉽고 간단하게 많은 정보를 찾을 수 있다.
2. ④　　3. 정보의 바다 인터넷

14 공공장소

듣기

1. ④　　2. ①

읽기

1. ④　　2. ④　　3. ①

15 주거생활

듣기

1. ③
2. 1) ㉡, ㉣　　2) ㉠, ㉢
   3) ㉥, ㉦　　4) ㉤, ㉧

읽기

1. ②　　2. ③

16 법과 도덕

듣기

1. ②　　2. ④

읽기

1. ③　　2. ③　　3. ①

색인

1. 표현

표현	과	쪽수
(의문사)든지	7과	102
AV-는 건 어때요?	1과	15
DV-아/어/여 죽겠다	1과	15
N(으)로	13과	204
N(이)란 N을/를 뜻한다	8과	127
N거리=AV(으)ㄹ거리	6과	90
N답다	10과	156
N도 N(이)지만	4과	65
N별	3과	40
N스럽다	11과	170
N씩	7과	106
N에 관한 N	16과	241
N에 달려있다=얼마나/ 어떻게 AV느냐에 달려있다	7과	102
N에 따른 N	15과	222
N을/를 통하다	9과	139
N이/가 N에 담기다	6과	90
N적	2과	29
V-(는)구나, N(이)구나	5과	70
V-(으)ㄴ/는 데	7과	115
V-(으)ㅁ	2과	26
V기	7과	106
그다지 V-지 않다/못하다	9과	132
마치 V-(으)ㄴ/는 것 같다	12과	184
통+(부정을 나타내는 말)	4과	62
한번/한 번	4과	62

2. 관용 표현

관용구	과	쪽수
간(이) 떨어지다	8과	118
군침(이) 돌다	6과	86
깨가 쏟아지다	5과	70
꼬리(를) 물다	9과	139
꿈도 못 꾸다	4과	64
눈살(을) 찌푸리다	14과	208
바람(을) 쐬다	12과	180
봄(을) 타다	3과	47
상다리가 부러지다	5과	78
숨(이) 막히다	3과	48
신경(을) 쓰다	4과	65
입(이) 닳다	11과	165
하늘 높은 줄 모르다	4과	64
허리(가) 끊어지다	10과	151

속담	과	쪽수
구슬이 서 말이라도 꿰어야 보배	13과	202
돌다리도 두들겨 보고 건더라	11과	162
둘이 먹다 하나(가) 죽어도 모르겠다	5과	78
땅 짚고 헤엄치기	8과	124
말 한마디에 천 냥 빚도 갚는다	4과	67
발 없는 말이 천 리 간다	4과	67
백지장도 맞들면 낫다	4과	56
소 잃고 외양간 고친다	3과	40
쇠귀에 경 읽기	8과	126
시작이 반이다	4과	59
식은 죽 먹기	8과	124
평안 감사도 저 싫으면 그만이다	2과	29

3. 어휘

어휘	과	쪽수
가구	15과	230
가급적	15과	228
가꾸다	4과	64
가득	6과	90
가려내다	13과	202
가리개	14과	214
가스비	15과	228
가시	6과	96
가입하다	1과	17
가치	13과	202
각	6과	94
각각	7과	106
각색	12과	189
각자	13과	197
간	1과	22
간장	6과	94
간주	3과	52
갇히다	9과	139
갈등	8과	126
갈비찜	9과	134
갈증	7과	113
감상	2과	36
감상하다	10과	146
감소하다	9과	141
감싼다	3과	52
감정	3과	47
갑작스럽다	14과	214
강도	16과	248

어휘	과	쪽수
강사	6과	89
강화	4과	62
강화하다	14과	216
갖추다	9과	133
갚다	2과	30
개발	15과	222
개별	1과	20
개봉	12과	187
개비	13과	195
개업	8과	129
개요	1과	21
개통	14과	210
거닐다	10과	158
거래	13과	194
거래처	8과	122
거르다	8과	126
거문고	12과	180
거스르다	8과	125
거의	1과	11
거칠다	2과	28
건수	9과	141
건의하다	14과	218
건전하다	2과	36
걸치다	6과	96
검색하다	2과	34
겉모습	3과	49
게다가	7과	111
게으름	13과	199
게재되다	11과	170
겨우	5과	75
겨울철	7과	111
격려	13과	204
격려하다	7과	115
겪다	8과	126
견디다	7과	113
결단코	3과	50
결승점	16과	237
결제	12과	180
겹	15과	228
겹치다	13과	195
경관	10과	158
경기	16과	246
경로	3과	52
경부고속도로	9과	139

어휘	과	쪽수
경비	9과	132
경우	4과	62
경쟁력	3과	52
경찰청	9과	142
계기	13과	204
계약	15과	222
계좌	13과	194
고개	7과	111
고국	6과	92
고기잡이	12과	189
고생	12과	189
고속도로	9과	139
고속버스	9과	132
고운	10과	158
고유	15과	232
고의	14과	212
고집부리다	13과	198
고추	10과	151
고추기름	6과	94
고춧가루	6과	94
고통	8과	126
곡	10과	151
곤란하다	11과	170
곧세	4과	62
골목	1과	11
곰	14과	209
곳곳	10과	155
공개	13과	201
공격하다	7과	106
공경하다	6과	96
공공질서	14과	211
공동주택	15과	230
공동체	2과	36
공사	11과	169
공유하다	13과	200
공익	8과	126
공인인증서	13과	194
공장	11과	164
공존하다	3과	49
공중	14과	216
공중도덕	14과	218
공지	4과	56
공해	15과	222
과로	14과	209

어휘	과	쪽수
과속	9과	143
과연	16과	246
과제	2과	30
과태료	14과	208
과학적	8과	129
관련	9과	143
관련되다	2과	29
관리	4과	64
관리비	15과	228
관상가	12과	187
괘씸하다	15과	226
괜히	3과	47
굉장히	4과	56
교감	12과	191
교통편	9과	132
구류	16과	248
구분	7과	102
구역	11과	169
구입하다	1과	21
구조	15과	231
구체적	8과	128
구호	7과	102
국가	16과	248
국민	12과	185
국악	12과	180
군데	12과	191
굴다	11과	162
굴뚝	15과	232
굵다	7과	103
굽히다	7과	112
권고	8과	127
권리	14과	216
권선징악	11과	176
권유하다	11과	166
권장하다	8과	126
귀감	11과	170
귀찮다	1과	17
귀하다	10과	158
규모	10과	151
그냥	2과	29
그다지	3과	50
그대로	7과	111
그러게	5과	71
그만	1과	13

어휘	과	쪽수
그만두다	5과	71
그저	2과	31
극	12과	191
극장가	12과	187
근거	13과	204
근력	7과	113
근로	1과	20
근육	4과	62
글쓴이	1과	20
금	10과	158
금방	8과	122
금세	4과	67
금시초문	4과	56
금액	13과	194
금지	8과	126
급기야	11과	175
급속하다	3과	52
기간	1과	20
기념품	10과	155
기대감	2과	34
기대다	4과	62
기둥뿌리	13과	196
기복	3과	47
기생충	16과	241
기약하다	11과	176
기운	13과	195
기울이다	13과	201
기재되다	7과	102
기존	5과	81
기준	8과	129
기체	14과	214
기행문	8과	127
기획하다	13과	200
기후	5과	76
긴급하다	11과	170
긴팔	8과	126
길바닥	7과	109
김장	6과	90
까다롭다	11과	162
깍지	7과	111
깜박하다	2과	27
깜빡하다	14과	214
깡충깡충	3과	48
깨다	16과	243

어휘	과	쪽수
깨물다	3과	52
깨지다	10과	152
껍질	7과	108
꼬르륵	6과	86
꼼꼼하다	3과	40
꽤	2과	34
끌다	8과	126
끼니	16과	247
끼어들기	9과	143
끼치다	8과	129
나뉘다	14과	216
나름	12과	191
난기류	14과	214
난방	15과	228
난방법	15과	232
날다	3과	48
날리다	16과	242
남기다	6과	87
남녀노소	11과	172
남아있다	12과	191
낭만	11과	172
낯	6과	87
낯설다	4과	57
내	5과	72
내부	15과	229
내성적	3과	49
내외분	11과	175
냉방병	14과	210
넉넉하다	9과	132
넋	14과	213
널리	7과	115
널리다	14과	211
넘기다	3과	52
넘어가다	9과	139
녀석	11과	172
노동	15과	232
노인	11과	170
녹음	11과	172
녹이다	3과	52
논설	13과	202
놀랍다	10과	155
농담하다	6과	92
농촌	4과	64
높이다	4과	60

어휘	과	쪽수
높임말	1과	22
눈부시다	10과	155
눈치	16과	245
느끼하다	16과	239
늘리다	7과	113
늘어나다	2과	36
능력	4과	60
닉네임	14과	216
다가오다	4과	64
다세대주택	15과	230
다용도	13과	200
다운루드	13과	194
다지다	2과	36
다채롭다	12과	191
다행히	2과	27
단	8과	126
단계	12과	180
단골	10과	151
단독주택	15과	230
단맛	6과	94
단속	14과	216
단지	2과	34
단체	10과	153
단편	9과	133
단합하다	7과	102
달구다	16과	242
달다	13과	204
달콤하다	6과	86
닭싸움	7과	106
담그다	6과	90
답변	9과	133
답안지	16과	245
당	9과	141
당기다	7과	112
당분간	11과	175
당사자	13과	204
당연하다	4과	60
당연히	2과	32
당장	4과	56
당하다	2과	28
대결	12과	188
대기하다	11과	176
대나무	10과	154
대단하다	11과	175

어휘	과	쪽수
대들다	10과	152
대략	16과	244
대상	1과	20
대여하다	10과	153
대체	8과	124
대출	4과	64
대통령	12과	185
대표	10과	158
대표적	3과	52
대하다	4과	60
대학원생	3과	42
대합실	10과	154
대형	9과	143
댓글	13과	204
더듬다	15과	226
더디다	13과	198
더욱	12과	191
덜렁거리다	5과	76
덮다	16과	242
도구	7과	111
도대체	2과	30
도덕적	16과	246
도도하다	11과	176
도로교통법	9과	135
도리	16과	246
도중	8과	119
독립하다	15과	230
돌려받다	16과	238
돌리다	8과	125
돌보다	11과	170
돌풍	2과	27
동네	9과	136
동료	2과	28
동시	10과	155
동작	7과	111
동호회	5과	73
되게	3과	41
되돌아보다	12과	187
되돌리다	11과	172
두근거리다	11과	166
두렵다	16과	244
두텁다	3과	50
둘레	10과	146
뒷마당	15과	232
드나들다	7과	104
든든하다	3과	48
드러나다	11과	176
등교하다	8과	119
등록금	4과	64
등받이	4과	62
등장인물	12과	188
따다	4과	64
따라서	4과	67
따로	5과	74
따로따로	5과	82
따르다	5과	72
따분하다	3과	43
따스하다	10과	155
딱	10과	155
딱히	15과	224
딸	7과	103
때다	15과	232
떠나다	9과	139
떠오르다	6과	98
떼	10과	154
떼다	10과	151
뚜껑	6과	96
뛰어나다	10과	158
뜨끈뜨끈하다	16과	242
띄우다	15과	232
레저	2과	36
렌터카	10과	153
로그인	12과	180
리모컨	11과	176
리조트	10과	150
마감	1과	20
마당	6과	90
마땅하다	16과	246
마라톤	16과	237
마련하다	2과	31
마루	15과	232
마비되다	13과	195
마음껏	12과	189
마음먹다	2과	34
마주치다	12과	191
마찬가지	13과	202
마치	12과	184
마치다	5과	79

어휘	과	쪽수
막	11과	172
막상	1과	16
만만찮다	10과	150
만원	12과	185
만족	9과	143
만족하다	3과	49
만화영화	15과	223
말	4과	59
맙소사	1과	10
맛집	2과	36
망가지다	8과	124
맞서다	14과	216
맡기다	8과	125
맡다	6과	86
매달리다	7과	106
매매	15과	222
매연	10과	156
매체	11과	172
매출	14과	216
맨	2과	34
머리띠	7과	115
머릿속	1과	16
먹구름	1과	11
메우다	11과	176
면발	11과	175
면하다	16과	248
모의	4과	59
모자라다	7과	103
모처럼	16과	244
목숨	11과	170
목장	10과	154
목재	10과	155
목적	1과	20
목적지	9과	139
목표	3과	52
몰려들다	4과	61
몸매	4과	64
몸살감기	6과	88
무기질	10과	158
무단	9과	135
무대	10과	158
무더위	4과	64
무리	2과	34
무리하다	7과	113

어휘	과	쪽수
무박	10과	154
무분별하다	13과	200
무사히	11과	168
무시	14과	216
무심하다	16과	244
무작정	11과	162
무조건	9과	135
무한	13과	202
문득	11과	172
문상	5과	82
문제	13과	196
물가	4과	64
물끄러미	3과	47
물들다	10과	146
물론	4과	56
물리치다	15과	225
물품	1과	21
뭉치다	7과	111
미끈미끈하다	6과	98
미네랄	10과	158
미루다	2과	32
미신	8과	129
미착용	9과	142
미처	14과	208
미치다	13과	196
미터	16과	246
믹서	5과	72
민간	8과	129
민감하다	5과	76
민망하다	14과	218
민박	10과	150
민속놀이	10과	158
바구니	6과	90
바뀌다	2과	32
바늘	5과	74
바닥	2과	27
바라다	7과	115
바람직하다	7과	115
바탕	1과	21
박	10과	154
박동	7과	113
박사	12과	186
반기다	2과	34
반말	1과	22

어휘	과	쪽수
반복되다	1과	18
반성하다	13과	199
반장	16과	243
반찬거리	6과	90
반팔	6과	93
받아들이다	4과	60
발견하다	16과	246
발급	10과	153
발생되다	7과	113
발전	3과	52
발톱	8과	129
발효	6과	90
밝히다	14과	216
밤새	4과	58
방뇨	16과	241
방바닥	15과	232
방심하다	13과	199
방음	15과	228
방지하다	13과	201
방청객	12과	188
방치하다	14과	208
방해	11과	164
방해하다	8과	129
배변	14과	208
배설물	14과	208
배열하다	15과	232
배우자	3과	42
배웅하다	5과	71
배출	16과	241
버릇	15과	226
버튼	11과	172
버티다	7과	106
번번이	15과	227
벌리다	7과	111
범인	6과	91
범죄	13과	200
범칙금	9과	135
범행	16과	246
법	1과	22
벽	10과	155
벽화	10과	155
변기	14과	219
변변하다	16과	246
변화	3과	48

어휘	과	쪽수
별	12과	184
별도	10과	154
별말	1과	10
병상	16과	246
보도	11과	170
보드게임	2과	33
보상	16과	248
보상하다	16과	248
보안	15과	230
보충하다	7과	113
보행자	9과	135
보험	10과	154
복구	14과	210
복도	7과	109
복합	12과	191
본교	1과	20
본국	10과	153
본의	16과	248
본인	6과	98
봄바람	3과	47
봉사료	10과	154
봉지	7과	115
부과되다	9과	135
부담	9과	132
부담스럽다	4과	64
부동산	15과	222
부딪치다	6과	96
부러지다	13과	196
부리다	13과	198
부분	1과	13
부상	9과	142
부시다	14과	214
부작용	13과	200
부장	16과	237
부정적	6과	98
부조금	5과	82
부주의	14과	210
부지런하다	5과	73
북돋우다	7과	115
북부	15과	232
분류	15과	222
분리하다	16과	236
분석하다	13과	202
분야	13과	202

어휘	과	쪽수
분위기	12과	188
분유	16과	247
불황	16과	246
붉다	10과	146
붉은색	7과	115
붐비다	12과	186
붙이다	7과	102
붙잡히다	16과	246
블로그	1과	20
비	3과	46
비다	6과	92
비위생적	14과	219
비중	13과	200
비판	13과	204
비평가	12과	182
비평문	10과	156
비흡연자	14과	216
빈소	5과	82
빛	9과	136
삐져들다	12과	189
빠지다	10과	152
빼놓다	7과	115
빼앗기다	12과	189
빼앗다	16과	246
뻗다	7과	112
뼈	6과	96
뽑다	4과	60
뽑히다	12과	185
뿌듯하다	3과	48
뿔	7과	115
뿜어내다	10과	158
사건	4과	66
사극	12과	187
사라지다	8과	127
사려	3과	50
사립대	4과	64
사망자	9과	141
사망하다	16과	248
사모님	5과	74
사물함	6과	92
사생활	13과	200
사수	11과	176
사실	16과	240
사실적	12과	187

어휘	과	쪽수
사양	11과	162
사연	11과	172
사우나	4과	61
사육하다	16과	241
사은품	7과	109
사제	1과	19
사찰	10과	155
사춘기	6과	87
사태	8과	126
사투리	6과	92
사회적	2과	29
산모	6과	98
산악자전거	2과	33
산업	3과	52
산지	8과	124
산책로	10과	146
살펴보다	8과	118
삶	3과	49
삼가다	14과	211
삼키다	15과	223
상관없다	7과	104
상벌	16과	248
상사	2과	36
상어	12과	189
상영	12과	187
상징하다	7과	115
상태	7과	111
상해	16과	248
상황	3과	48
새롭다	4과	57
생계형	16과	246
생명	16과	248
생명선	9과	143
생산되다	8과	124
생생하다	12과	191
생존	4과	64
생활공간	15과	232
생활비	4과	64
생활용품	8과	121
서글프다	3과	47
서늘하다	8과	126
서두르다	4과	60
서비스	3과	52
서적	10과	150

어휘	과	쪽수
서해안고속도로	9과	139
석	12과	191
석사	12과	186
선발	1과	20
선수	7과	115
선약	1과	13
선정하다	10과	158
선착순	7과	102
선하다	16과	248
선호하다	3과	49
설득하다	2과	29
설마	14과	212
설치되다	9과	140
섭취하다	7과	113
성분	6과	98
성악	8과	119
성의	14과	210
성장	3과	52
성질	3과	52
성형수술	12과	186
세대	2과	36
세상	3과	49
세월	11과	172
세탁기	8과	125
세탁소	8과	125
소금	2과	27
소문	4과	57
소비자	3과	52
소소하다	11과	166
소속	11과	170
소심하다	3과	40
소음	8과	126
소중하다	4과	57
소질	12과	185
소통	12과	191
속다	16과	239
속도	2과	34
속이다	14과	212
손	8과	129
손가락질	14과	213
손바닥	7과	112
손수	11과	170
손쉽다	11과	172
손질	15과	232

어휘	과	쪽수
손톱	8과	129
솔선수범	8과	126
솜씨	5과	78
솥	6과	98
쇼	7과	106
수도권	9과	139
수료증	11과	168
수리	13과	197
수리하다	8과	129
수많다	12과	189
수분	7과	113
수여하다	11과	168
수월하다	4과	59
수저	6과	96
수준	3과	52
수첩	11과	163
수타면	11과	175
숙박	10과	150
순간	6과	87
순수하다	11과	172
숨	14과	211
숨소리	16과	242
숨차다	2과	26
숫자	9과	139
숲	10과	154
슬리퍼	11과	170
승강장	11과	170
승패	7과	115
시간표	10과	153
시골	9과	137
시대	10과	158
시루떡	15과	225
시사회	16과	239
시선	14과	208
시설	1과	19
시설물	14과	208
시세	15과	222
시식	6과	90
시절	5과	77
시행하다	14과	216
식욕	8과	123
신경질	3과	48
신나다	11과	162
신념	3과	49

어휘	과	쪽수
신뢰하다	13과	200
신바람	3과	48
신분증	1과	21
신선하다	12과	187
신속하다	13과	202
신앙	8과	129
신원	13과	194
신중하다	4과	67
신호등	9과	135
신혼여행	5과	70
실	5과	74
실감나다	12과	191
실력	2과	26
실례	16과	248
실망하다	3과	43
실속	10과	154
실제로	7과	108
실천	9과	141
실천하다	5과	73
심각하다	13과	204
심다	12과	187
심란하다	3과	47
심사	1과	20
심야	11과	172
심장	7과	113
심정	16과	244
심지어	3과	50
싱그럽다	10과	155
싱숭생숭하다	3과	47
쌀벌레	13과	195
쌍	10과	151
쏟아지다	2과	27
쑤시다	8과	119
쑥스럽다	1과	17
쓰러뜨리다	7과	106
쓰러지다	11과	163
쓰이다	7과	102
쓸쓸하다	3과	47
아궁이	15과	232
아들	7과	103
아무래도	10과	146
아쉽다	1과	19
아슬아슬하다	16과	245
악마	7과	115

어휘	과	쪽수
악성	13과	204
악용되다	13과	200
안내소	10과	155
안색	4과	62
안식처	11과	176
안전거리	9과	141
안전사고	7과	113
안타깝다	3과	48
알리다	15과	225
알바족	4과	64
압도적	12과	187
앞두다	4과	64
애완견	14과	208
야근	9과	136
양	10과	154
양념	6과	86
양손	7과	111
양심	16과	248
양해	11과	170
어긋나다	14과	211
어깨	4과	62
어지르다	14과	213
어쩌다	5과	79
어쩌지	12과	180
어학연수	2과	33
언론	8과	128
얼큰하다	6과	94
엄청나다	10과	151
엄하다	15과	226
업다	16과	244
업무	1과	20
업주	14과	216
엊그제	5과	79
에너지	8과	126
여기다	2과	36
여럿이	14과	208
여부	5과	81
여유	13과	198
여전히	9과	141
여쭈다	8과	123
여행지	5과	74
역기능	13과	204
역사의식	12과	187
역시	4과	64

어휘	과	쪽수
역할	11과	176
연	16과	242
연료	15과	232
연립주택	15과	230
연애하다	2과	30
연예인	4과	63
연장선	2과	36
연휴	9과	139
열띠다	14과	217
열렬하다	11과	172
열리다	7과	102
열사병	7과	113
열차	9과	132
염도	10과	158
염려하다	11과	170
염전	10과	158
엽서	11과	172
엿	8과	129
엿보다	11과	170
영동고속도로	9과	139
영안실	5과	82
영향	3과	47
옆자리	16과	244
예	6과	96
예(例)	7과	115
예민하다	9과	134
예방	9과	141
예방하다	14과	210
예상되다	9과	139
예상하다	11과	176
예외	14과	216
예전	4과	64
예절	6과	96
오디션	5과	76
오래	7과	106
오직	4과	64
오피스텔	15과	222
오히려	9과	138
온돌	15과	232
온라인	1과	20
온몸	8과	119
온수	8과	119
올리다	7과	111
올바르다	13과	202
옮기다	13과	196
완성되다	6과	94
완성하다	1과	21
완주하다	16과	237
왜곡하다	12과	187
왠지	1과	18
외관	14과	219
외부인	11과	169
외치다	3과	52
외향적	3과	49
요구	4과	60
요구르트	6과	90
요리조리	7과	106
요청하다	1과	21
욕먹다	14과	208
용도	12과	185
용돈	9과	133
용변	11과	170
용서	11과	165
우기다	14과	213
우수수	12과	184
우여곡절	14과	219
우울증	13과	204
운	10과	155
운동량	7과	113
운명	12과	187
운영	1과	20
운행	11과	170
웅성거리다	11과	175
웅크리다	7과	111
원동력	3과	52
원룸	15과	222
원위치	14과	214
원작	12과	189
원하다	4과	60
웬	5과	75
웬일	2과	29
위반하다	9과	141
위염	11과	164
유료	14과	219
유리병	2과	31
유산균	6과	90
유산소	1과	11
유용하다	13과	200

어휘	과	쪽수
유익하다	12과	187
유족	16과	248
유지하다	7과	111
유창하다	10과	147
유턴	9과	141
유형	3과	40
육개장	6과	94
은근히	8과	123
음색	12과	184
음식물	6과	96
음주운전	9과	141
응급	16과	248
응원가	7과	115
의견	3과	52
의논	15과	226
의도적	7과	113
의사	14과	216
의사자	16과	248
의식	2과	36
의심하다	13과	197
의지	12과	189
이국적	5과	74
이기적	2과	29
이르다	10과	147
이리	16과	244
이불	16과	242
이삿심센터	15과	225
이상	6과	98
이상하다	12과	186
이슈	2과	29
이왕이면	11과	162
이외	6과	96
이착륙	14과	214
이체하다	13과	194
이해	6과	87
익다	6과	87
익히다	6과	86
인간적	3과	49
인내	12과	189
인원	1과	20
인정받다	3과	49
인정하다	14과	216
인터뷰	12과	187
일거양득	10과	150

어휘	과	쪽수
일단	4과	59
일등	13과	195
일상	1과	18
일석이조	1과	15
일정하다	15과	232
일주	10과	154
일치하다	2과	32
임대	15과	222
입력하다	12과	180
입소문	12과	189
입장	14과	216
입히다	16과	248
자기	1과	15
자료	2과	27
자발적	9과	141
자부심	11과	175
자살하다	13과	204
자세	4과	62
자식	6과	88
자연적	15과	230
자유	3과	49
자제하다	8과	129
자판기	3과	52
작가	3과	41
작동되다	5과	72
작문	12과	183
작품	16과	240
잔잔하다	11과	170
잠기다	15과	227
잠옷	5과	72
장(場)	8과	121
장(腸)	6과	90
장관	10과	158
장난치다	1과	10
장마철	7과	110
장면	2과	36
장시간	4과	62
장점	2과	31
장판	15과	232
장학생	1과	20
재떨이	14과	216
재빨리	11과	172
재산	16과	248
재채기	2과	27

어휘	과	쪽수
재학생	1과	20
재활용	16과	236
저렴하다	8과	121
저마다	7과	115
저장하다	13과	194
저지르다	16과	246
적극적	9과	136
적당하다	8과	126
적당히	11과	163
적도	6과	89
적성	9과	138
적히다	6과	90
전광판	9과	140
전기	11과	169
전년	9과	141
전달	12과	191
전달되다	4과	67
전달하다	14과	217
전동차	11과	170
전망되다	9과	139
전문	11과	175
전문가	4과	62
전문적	13과	202
전시	6과	90
전자서명	13과	194
전쟁터	4과	64
전주	3과	52
절경	10과	158
절대로	6과	96
절도	16과	246
절약	8과	126
점	6과	96
접속하다	15과	222
정부	8과	126
정신	12과	189
정신없다	4과	64
정원	10과	158
정전	8과	126
정지선	9과	141
정책	14과	216
젖히다	7과	111
제공되다	10과	154
제공하다	12과	187
제대로	15과	226

어휘	과	쪽수
제도	16과	248
제시간	13과	199
제집	7과	104
제한적	13과	200
조	6과	94
조깅	7과	113
조르다	14과	213
조리법	6과	94
조선	10과	158
조식	10과	154
조절	5과	75
조카	6과	88
조퇴	10과	149
조형물	6과	90
조화	6과	94
조회	1과	20
존재하다	12과	191
졸음운전	9과	142
종목	7과	102
종이컵	14과	216
종이학	2과	31
종종	1과	15
죄	16과	246
주거	15과	222
주도적	3과	49
주량	14과	213
주로	6과	95
주무르다	11과	175
주민	8과	121
주방장	12과	188
주변	3과	52
주요	1과	20
주위	9과	134
주전자	16과	243
주제	2과	29
줄어들다	14과	216
줄줄	3과	52
중개사	15과	222
중단되다	11과	170
중독되다	13과	197
중시하다	3과	52
중앙선	9과	141
중요성	4과	67
쥐어뜯다	3과	48

어휘	과	쪽수
즉	16과	248
증가하다	9과	139
증명서	4과	56
지각하다	2과	26
지나치다	2과	28
지름길	9과	143
지새다	11	172
지속되다	7과	108
지식	4과	56
지옥	9과	143
지원	1과	20
지원서	1과	20
지원하다	4과	59
지인	14과	213
지정되다	14과	211
지진	14과	209
지출	9과	133
지치다	3과	48
지탄받다	16과	246
지형	3과	41
지혜	15과	232
직송	8과	124
직원	2과	36
진실	9과	137
진심	5과	70
진학하다	2과	31
진행되다	4과	56
질리다	10과	151
질병	3과	47
질서	12과	185
질질	8과	126
질환	4과	62
짐	1과	14
집결	10과	154
집세	10과	148
집어던지다	3과	48
징역	16과	248
짭짤하다	6과	86
짝	7과	111
찌들다	10과	155
찢다	12과	186
차근차근	15과	222
차다	16과	243
차도	2과	34

어휘	과	쪽수
차라리	3과	50
차량	9과	139
차리다	5과	77
차분하다	4과	59
차선	9과	143
차이점	3과	47
차지하다	9과	141
차창	10과	155
착각하다	13과	195
착용하다	14과	214
찬성	14과	216
참가	3과	46
참여하다	1과	20
창	12과	180
창밖	3과	47
창작	12과	188
채	16과	246
책임	14과	216
책임감	3과	40
처리	15과	228
처벌	16과	247
처벌하다	16과	248
처하다	16과	248
척추	4과	62
천일염	10과	158
천재	12과	187
철봉	7과	106
철분	6과	98
첨부	1과	20
청소기	8과	126
청첩장	8과	122
청춘	11과	172
청하다	15과	227
체감온도	8과	126
체력	12과	182
체온	7과	113
체포되다	16과	246
체하다	8과	119
초	3과	49
초래하다	13과	200
초반	16과	244
초청하다	12과	188
촉감	6과	98
총	7과	106

어휘	과	쪽수
최대한	13과	202
최종	1과	20
추가하다	15과	231
추구하다	3과	49
출산하다	6과	98
출세	11과	166
충격	14과	219
충분하다	13과	196
충분히	8과	123
취사	8과	121
취재기자	9과	139
취침	15과	232
취하다	9과	143
취향	15과	230
층간	8과	126
치우다	1과	14
친목	2과	36
침	10과	155
침해	13과	200
칭찬하다	8과	128
칼질	12과	188
캠페인	9과	141
커플	5과	72
코너	6과	90
큰소리	8과	126
큰코다치다	13과	199
클릭하다	12과	180
타협점	14과	216
탁하다	1과	14
탈수	7과	113
탈진	7과	113
탐방	2과	36
태극기	7과	115
태블릿	13과	197
터	11과	164
터지다	10과	152
테이블	14과	214
토론	1과	15
톨게이트	11과	170
통계	9과	141
통과하다	9과	141
통신	3과	52
통제하다	11과	164
통증	4과	62
통쾌하다	11과	176
통풍	14과	211
투고문	8과	127
투표	12과	185
특급	10과	154
특산물	8과	124
특이	10과	154
특징	6과	95
틈	7과	111
티켓	12과	180
팀장	8과	119
파스타	11과	163
파인애플	7과	103
파일	1과	20
판매	1과	21
팥	15과	225
패배하다	12과	189
팽팽하다	14과	216
펜션	10과	150
편견	12과	184
펼치다	14과	218
평가	6과	94
평가자	6과	94
평등하다	16과	246
평론가	12과	187
평범하다	3과	49
평생	9과	143
평야	3과	41
평일	8과	129
평화롭다	3과	49
포털	14과	216
포함	10과	153
폭우	2과	27
폭풍	12과	189
표어	9과	143
표정	12과	191
풀이하다	3과	52
풍경	10과	155
풍부하다	3과	49
풍요롭다	15과	223
피	11과	169
피로연	5과	70
피하다	7과	106
피해	11과	170
피해자	9과	138
필자	14과	217
하룻밤	10과	150
하필	9과	135

어휘	과	쪽수
학급	3과	46
학비	13과	196
학업	5과	79
학창	11과	172
한걸음	4과	57
한계	8과	118
한꺼번에	12과	191
한낮	7과	113
한밤중	12과	185
한자리	14과	209
한지	10과	155
한참	12과	188
한편	16과	248
핥다	3과	52
합당하다	16과	248
항의	8과	125
해	8과	129
해결되다	8과	124
해결하다	4과	64
해고	2과	28
해당	11과	170
해돋이	13과	196
해롭다	7과	103
해설	10과	155
해설사	10과	153
해소	11과	176
해치다	14과	215
햇빛	7과	113
햇살	10과	155
행운	3과	49
행위	14과	211
향상	16과	239
향하다	3과	52
헉헉대다	2과	28
헷갈리다	1과	10
현실	11과	176
현실적	3과	49
현실화	3과	49
현장	11과	170
혈액	6과	98
혈액형	3과	40
협의	16과	246
협동	11과	170
협동심	11과	170
협력하다	9과	137
형성되다	13과	204

어휘	과	쪽수
형제	9과	138
형태	15과	222
형편	16과	247
혜택	3과	49
호감	4과	64
혼례식	10과	158
홀로	2과	34
홈페이지	4과	56
홍보	1과	20
홍삼	6과	88
화면	12과	187
화재	10과	151
화창하다	3과	47
확충	9과	141
환경	3과	49
환기	1과	14
활성화	14과	210
활용하다	7과	115
활짝	10과	155
황색	9과	141
회복되다	6과	88
회식	2과	36
효과	7과	111
효과음	12과	188
효과적	13과	202
효능	6과	98
효율	15과	232
효율성	3과	52
후련하다	3과	48
후손	12과	187
훈훈하다	11과	170
훌륭하다	5과	78
훔치다	9과	138
훼방	8과	129
휴직하다	16과	237
흐뭇하다	3과	48
흔히	6과	98
흘려서	13과	199
흘리다	10과	156
흙	7과	109
흡연	5과	72
흡연율	14과	216
흥겹다	12과	188
흥미롭다	1과	12
힘껏	11과	175
희망	12과	189
흰머리	9과	134

새인하한국어3

2014년 12월 05일 1쇄 발행
2023년 02월 06일 6쇄 발행
저　자 : 최권진, 유지숙, 장정숙, 안나영
발행처 : 인하대학교 출판부
주　소 : 인천광역시 남구 인하로 100
전　화 : 032) 860-8301
등　록 : 1979년 5월 23일 남구 제13호

인쇄·편집 : 진원디자인프린텍 TEL : 032)467-4544~5

ISBN : 978-89-7407-973-4
978-89-7407-961-1(세트)
정　가: 27,000원